RAYMOND DEXTREIT

LE FOIE
ce méconnu

**LES TROUBLES DUS A SON DÉRÈGLEMENT
COMMENT LES RECONNAITRE
ET Y REMÉDIER PAR LE RECOURS
AUX FACTEURS CURATIFS NATURELS**

D0784824

Collection « CHOIX SANTÉ »
Editions « VIVRE EN HARMONIE »

ISBN : 2-7155 - 006-10

ISSN : 1157-3996

MOT DE L'AUTEUR

Les évocations d'un possible dérèglement du foie sont pourtant fréquentes : «C'est mon foie qui ne va pas», «je viens de faire une crise de foie», «il devrait bien soigner son foie» ; elles sont encore loin de donner le tableau exact de la situation réelle.

Le nombre des troubles ou lésions découlant de perturbations dans le système hépatique est tel qu'il serait peut-être plus simple de dresser la liste des maux ne permettant aucun rapprochement...

Pour qui ne serait pas bien convaincu encore du rôle capital joué par le foie dans la protection ou la reconquête de la santé, il suffirait de rappeler que des expériences médicales ont mis en évidence la possibilité, pour les acides biliaires, de s'opposer aux plus redoutables virus, y compris le VIH1, présent dans le sida !

Bien des lecteurs seront étonnés de ce qui est avancé. Qu'ils soient bien persuadés qu'ils ne vont pas se trouver devant des élucubrations plus ou moins fantaisistes ou une théorie plus ou moins originale, plus ou moins séduisante, mais uniquement devant des considérations, remarques et conseils inspirés par des années d'expériences et d'observations.

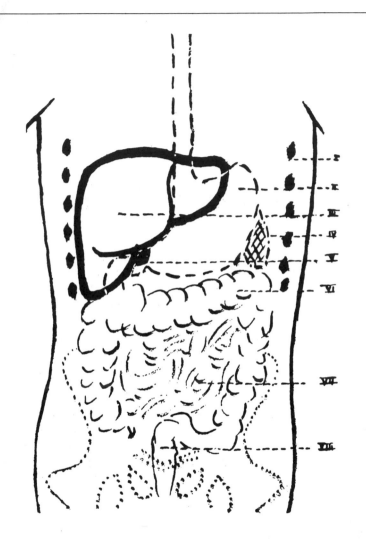

I. Côtes - II. Estomac - III. Foie - IV. Rate
V. Vésicule biliaire - VI. Gros intestin
VII. Intestin grêle - VIII. Rectum

LE FOIE

INTRODUCTION

Ce n'est pas toujours sans réticence ou surprise qu'un malade apprend que le départ des troubles qu'il ressent ou enregistre, se situe au niveau du foie, alors qu'aucune douleur n'affecte la région hépatique. Sauf en cas de lithiase biliaire ou, naturellement, d'abcès ou autre manifestation de ce genre, le foie est rarement le siège de douleurs. L'inflammation de la vésicule biliaire peut se traduire par une sensation doulou- reuse à la palpation, mais l'apparition des coliques hépatiques ou autre manifestation sensible en dessous du rebord costal droit traduit généralement une migration de calculs biliaires ou la présence de boue dans les conduits.

Bien d'autres symptômes sont révélateurs d'un désordre de la fonction hépatique. On en trouvera l'énumération et la justification des démarches, après que l'on aura donné des précisions sur l'organe lui-même, avec quelques données d'anatomie et de physiologie.

L'ORGANE

Occupant tout l'hypocondre droit et une partie de l'épi- gastre, le foie, dont le lobe gauche atteint l'hypocondre gau- che, se trouve au-dessous du diaphragme, au-dessus de l'esto- mac et des intestins. Divers ligaments le maintiennent en place, de même que le diaphragme, dont il subit les effets du déplacement.

Le foie dispose d'un tel pouvoir de régénération que s'il est détruit en partie, ses tissus se reconstituent, même pour une moitié de l'ensemble.

Le tissu du foie se compose d'un nombre considérable de petits granules du volume d'un grain de millet ; ce sont les lobules hépatiques dont chacun est un petit foie miniature, avec ramifications de la veine porte, de l'artère hépatique, des canaux biliaires. Ces lobules sont composés de cellules variant fréquemment, selon que le sujet est à jeun ou en période de digestion.

La réunion des canaux interlobulaires forme les conduits biliaires qui, à leur tour, se réunissent et donnent naissance au canal hépatique, qui reçoit le canal cystique venant de la vésicule biliaire. Le canal cholédoque, formé des canaux hépatique et cystique, vient aboucher, ainsi que le fait également le canal pancréatique, dans une chambre (ampoule de Vater) ouverte sur la portion de l'intestin grêle formant le duodénum. C'est dans l'ampoule de Vater que s'opère la fusion des sécrétions biliaire et pancréatique, avant de se déverser dans le duodénum.

Venant du gros intestin, où ils ont été captés par une multitude de petites bouches (les villosités intestinales), le sang et le bol alimentaire, transformé en chyle, rejoignent le foie par la veine porte qui le rallie grâce aux milliers de ramifications formées par des veines radiées se terminant en capillaires, ce qui constitue une exception pour une veine.

Après avoir été transformés et épurés, sang et chyle sont collectés par les veines hépatiques, qui les acheminent vers la veine cave inférieure et l'oreillette droite du cœur. Au passage du sang dans le foie, sont captés les matériaux permettant de répondre aux différents besoins et, notamment, d'élaborer la bile, dont le rôle sera exposé plus loin.

Appliquée contre la face interne du foie et maintenue par le péritoine, la vésicule biliaire se trouve, à peu près, sous la dernière côte droite. En enfonçant un doigt sous cette côte, on repère très bien la vésicule, si elle est douloureuse au toucher. C'est un organe complémentaire très important qui transforme une partie de la bile et en régularise l'écoulement. La bile normale résulte d'ailleurs de la combinaison des sécrétions arrivant dans le canal cholédoque par le canal hépatique relié directement au foie, et par le canal cystique venant de la vésicule. La vésicule contribue à la fonction de détoxication, ébauchée par le foie lui-même. L'ablation de la vésicule biliaire rend plus délicates les digestions, conduit à l'appauvrissement du sang et fragilise l'organisme, qui se défend moins bien.

LA BILE

C'est une substance complexe dont les possibilités sont multiples. La bile neutralise, par exemple, l'acidité du chyme (bol alimentaire venant de l'estomac) afin de créer le milieu basique favorable à l'action de la lipase pancréatique sur les corps gras. Non seulement l'absorption des graisses, mais celle de la vitamine K est favorisée par la bile qui se déverse dans l'intestin, au même niveau que la sécrétion pancréatique, dans l'ampoule de Vater. C'est encore la bile qui contribue à l'élimination de certains corps toxiques et des déchets hémoglobiniques (transformés en pigments biliaires).

La bile est composée de sels biliaires (sels de l'acide cholique), de cholestérol et de bilirubine, pigment qui donne sa couleur à la bile et colore les selles. A la désagrégation de l'hémoglobine des globules rouges, le fer est séparé et emmagasiné par le foie ; d'autres corps (protéines, pigments, etc.) sont également dissociés, et le corps subsistant est à la base de la bilirubine.

On trouve des liens de parenté entre le cholestérol, les sels biliaires et certaines hormones des glandes sexuelles et surrénales. Après élaboration par le foie, ces corps y reviennent sitôt le passage de la paroi intestinale.

Une fois utilisée, la bile n'est pas intégralement éliminée avec les matières fécales ; une partie est récupérée à son passage dans l'intestin et dirigée vers le foie où elle sera rénovée et mêlée aux nouvelles sécrétions.

D'autres substances de désassimilation peuvent être utilisées pour l'élaboration de la bile. Une défaillance du foie aura, là encore, les plus graves répercussions sur la composition de la bile et, partant, du sang.

LES FONCTIONS

Aussi lourd que le cerveau de l'homme, dont le poids moyen est de 1 kg 500, le foie peut atteindre 2 kg avec le sang qu'il renferme habituellement dans l'organisme vivant. C'est la plus grosse des glandes, et il assure de nombreuses fonctions.

Organe de la digestion, il participe à cette fonction, comme le font l'estomac, les glandes salivaires et gastriques, le pancréas, le duodénum, etc. Certaines de ses sécrétions se déversent dans le tube digestif, d'autres directement dans le sang. C'est non seulement un filtre placé entre l'intestin et le cœur, mais un organe biliaire et une glande endocrine jouant, à ce titre, un rôle des plus importants sur le maintien ou le rétablissement de l'équilibre général. La fonction hépatique est capitale dans la formation du sang, la transformation des protides et des graisses, la fixation des matériaux d'entretien et de construction, la neutralisation de certains poisons, la production de plusieurs enzymes, l'accomplissement des fonctions de régulation.

Non seulement le foie contribue à la répartition des matériaux, mais c'est également lui qui en assure la transformation biologique préalable, l'humanisation indispensable à leur utilisation. Hors ce processus, les meilleurs aliments pourraient se comporter en poisons pour l'organisme.

Le foie élabore aussi des substances de protection dont l'absence ou l'insuffisance peut favoriser l'apparition ou la permanence des infections.

FONCTION DIGESTIVE

Par vingt-quatre heures, le foie sécrète de 500 à 1 000 cc de bile dont le rôle est primordial pour la digestion et l'utilisation des graisses, grâce à certains sels biliaires (notamment glycocholate et taurocholate de sodium). Emulsionnant, puis accompagnant les graisses, après transformation en acides gras et glycérine, ces sels permettent l'action des enzymes et de la lipase pancréatique.

Les substances nutritives ne sont définitivement « humanisées » et métabolisées qu'après intervention des sécrétions hépatiques. Sans cette culminante transformation, nous serions intoxiqués par presque tous les aliments. La toxicité d'un remède chimique peut être atténuée s'il emprunte la voie buccale, ou même la voie rectale, de préférence à l'introduction directe dans le sang. Seulement cela se termine bien vite par l'épuisement du foie et même par la destruction de ses cellules par le médicament. C'est encore le foie qui doit transformer, puis fixer ou éliminer les poisons, tels les ptomaïnes des tissus animaux, la nicotine du tabac, la caféine du café, la théine du thé, la théobromine du cacao, etc., ainsi que tous les déchets ou toxines charriés par le sang.

Avec la bile se termine la digestion et l'assimilation des graisses commencée par le suc pancréatique. Les graisses ne peuvent être utilisées qu'après avoir été émulsionnées par la bile. C'est encore au niveau du foie que sont filtrés et transformés, avant utilisation ou stockage, les albumines, sucres, vitamines, etc. Les glucides non utilisés immédiatement sont transformés en graisses et emmagasinés. Les poisons provenant du milieu interne ou de l'extérieur sont neutralisés, la cholestérine transformée en acide cholatique, le fer fixé, le soufre oxydé.

C'est encore grâce au foie et à ses sécrétions que l'acide urique peut être évacué dans l'urine, après transformation en urée, de même que les sels ammoniacaux et les acides aminés excédentaires, risquant de devenir dangereux pour l'organisme qu'ils sensibiliseraient à toute excitation, d'origine protéinique ou autre, s'ils n'étaient pas ainsi transformés et éliminés. Des déficiences dans ces fonctions conduisent à l'intoxication et à l'hypersensibilisation, se traduisant aussi bien par des crises de rhumatisme que par des poussées d'asthme ou d'urticaire. Dès qu'une substance toxique est absorbée, le foie l'intercepte, la neutralise et la rejette, avec la bile, dans l'intestin. Chaque dose, même minime, provoque toujours un surmenage ou même une défaillance du foie. Un foie insuffisant ou encombré n'assure que très imparfaitement cette fonction de défense. Une partie des substances toxiques ingérées passe alors directement dans le sang et dégrade organes et centres nerveux.

FONCTION CÉRÉBRALE

Le foie sécrète une substance indispensable au cerveau, et il lui serait possible, par ailleurs, d'éliminer une substance neurotoxique. La remarque a été faite qu'à mesure que se poursuit la destruction du foie, se ralentit la fonction cérébrale, le cerveau ne pouvant plus élaborer quand le foie est détruit.

UTILISATION DES PROTIDES

Les protéines (substances albuminoïdes, ou protides) sont indispensables pour la nutrition, encore faut-il qu'elles puissent être convenablement désintégrées, que les divers éléments en soient répartis, et éliminés les déchets provenant de la transformation.

Avec sa bile, le foie dégrade les albumines alimentaires et les transforme en substances plus diffusibles, destinées à devenir, dans les tissus et liquides organiques, l'albumine constitutive du corps humain. Ces albumines sont mises en réserve par le foie qui est alors en mesure de rétablir, très rapidement, l'équilibre normal, lors d'une hémorragie qui provoque une diminution du taux des protéines dans le sang.

Un foie déficient n'assure pas parfaitement la désintégration des albumines (fonction protéopexique) ; or, des albumines mal transformées peuvent donner naissance à des poisons qui passent dans le sang et déterminent des troubles humoraux.

FONCTION HÉMATOPOIÉTIQUE

S'il ne fabrique pas directement des globules sanguins, le foie joue un rôle capital dans le maintien de l'équilibre hématique par sa fonction antianémique. Régularisant la teneur du fer dans les globules sanguins et l'indice de la coagulabilité du sang, il met entrave, aussi bien à la tendance à l'hémophilie qu'à celle d'une excessive coagulation.

En cas de mobilisation des défenses, lors d'une crise curative ou d'une quelconque agression, le foie fournit les protéines nécessaires à la fabrication des globules blancs.

Le foie synthétise des protéines dont certaines, telles la fibrine et la prothrombine, sont indispensables à la coagulation du sang. D'autre part, les sels biliaires contribuant, pour une bonne part, à l'absorption des vitamines liposolubles, notamment de la vitamine K — d'autant plus précieuse qu'elle est assez rare — d'un ferment (la prothrombine), présent dans le sang et indispensable à sa coagulation, deux incidents peuvent se produire dans la diminution de la prothrombine : 1°) en cas de déficit en sels biliaires, les graisses et les vitamines liposolubles (dont la vitamine K) ne sont plus absorbées ; 2°) par suite de la non-fixation de la vitamine K (antihémorragique), la synthèse de la prothrombine (ferment permettant la coagulation du sang) ne peut être réalisée. Une sécrétion insuffisante en sels biliaires, un déséquilibre dans leur composition peuvent entraîner une hypothrombinémie ; d'où tendance à l'hémophilie.

Après absorption d'une substance produite par la combinaison de deux facteurs : 1°) un facteur extrinsèque provenant des aliments ; 2°) un facteur intrinsèque constitué par des sécrétions gastriques, le sang déverse cette substance dans le foie qui l'emmagasine. Après transformation, cette substance devient donc un facteur hépatique, libéré par le foie en direction de la moelle des os où s'élaborent les globules rouges.

Un foie déjà engorgé peut se trouver dans l'impossibilité de stocker ces substances, tandis qu'un foie insuffisant est incapable de les transformer. La cirrhose met également entrave à l'accomplissement de ces fonctions essentielles. L'anémie résulte de toutes ces défaillances et anomalies.

En traitant l'anémie par le foie animal (ou ses extraits) on vise surtout à l'introduction du facteur hépatique, dit aussi EMF ou facteur de maturation de l'érythrocyte (non scientifique du globule rouge) que le foie est parfois impuissant à élaborer. Seulement, pour une quantité infime de l'hormone précitée, il faut ingérer ou injecter une énorme quantité de corps toxiques. Le foie étant un filtre, des toxines y stationnent inévitablement au moment où l'animal est sacrifié. Cette intoxication supplémentaire se justifie d'autant moins que l'on ne fait ainsi que combler tout à fait provisoirement une carence, sans apporter de remèdes à une anomalie qui ne disparaîtra qu'avec le rétablissement de fonctions normales.

On peut faire les mêmes réserves en ce qui concerne les transfusions de sang lorsqu'on en comprend le mécanisme. Lors de ces transfusions, les globules rouges sont arrêtés par certaines cellules hépatiques qui incorporent leur pigment ferrugineux aux autres cellules hépatiques chargées de la transformation de l'hémoglobine en pigments biliaires, pendant qu'une autre partie des globules rouges est utilisée à la fabrication de l'hormone dont il a été précédemment question. Pigments et hormone combinés donnent la substance dirigée vers la moelle osseuse pour l'inciter à produire des globules neufs.

C'est seulement par ce processus que l'introduction d'un sang étranger peut contribuer à l'élaboration du sang neuf, le sang transfusé étant immédiatement attaqué par les anticorps tapis dans le plasma du récepteur. Il s'ensuit évidemment un conflit se traduisant d'abord par de la fièvre, ensuite par diverses manifestations (urticaire, asthme, etc.). La gravité de ces manifestations est le fait que, lors de la destruction des globules rouges étrangers, les substances qui découlent de leur transformation s'agglomèrent parfois dans les petits tubes rénaux et les oblitèrent. C'est la « crise hépatique de transfusion » qui peut être mortelle. Si la transfusion détermine la formation excédentaire de pigments biliaires, il en résulte la jaunisse ou ictère.

Parallèlement à cette fonction, qui assure la coagulabilité du sang, le foie en exerce une autre qui semble contraire, mais concourt en réalité à l'équilibre organique. En effet, sans l'intervention d'une sécrétion hépatique (héparine), le sang se coagulerait dans les vaisseaux (ce qui se produit, par exemple, avec la phlébite). C'est le foie qui entretient la fluidité permettant la circulation dans les vaisseaux les plus fins.

FONCTION HORMONALE

Indépendamment de la production de ses propres hormones, dont le rôle n'est encore que pressenti, le foie assure la transformation des hormones stéroïdes (surtout sexuelles) et réglemente la production de folliculine. Or, la folliculine en excès fait chuter la norme du calcium dans le sang, provoque des angoisses, de l'hypersensibilité. Son insuffisance est également un facteur de troubles.

Dans les cas d'hyperfolliculinie, on remarque très souvent d'autres dérèglements ayant leur origine dans une insuffisance ou une perturbation des fonctions hépatiques : constipation, urines foncées et rares, poussées hémorroïdaires.

Il importe donc que le foie soit placé dans les meilleures conditions pour l'accomplissement de ses fonctions dont le désordre peut être gros de conséquences.

FONCTION ENZYMATIQUE ET VITAMINIQUE

Abondamment pourvu de vaisseaux, le foie reçoit le sang venant des intestins par l'intermédiaire de la veine porte. Ce sang va s'enrichir d'enzymes, nécessaires à l'équilibre glycémique (répartition des sucres), à l'équilibre protéique (dégradation et utilisation des albumines), au métabolisme (assimilation et désassimilation) des corps gras et de certaines hormones.

Le foie élabore et emmagasine beaucoup d'enzymes et de vitamines, notamment la vitamine A ; laquelle vitamine est stockée par cet organe qui possède également la propriété de transformer en vitamine A le carotène, ou « provitamine A ».

C'est encore le foie qui sécrète des harmozones (substances servant aux échanges nutritifs, au maintien du milieu intérieur et des formes du corps).

Lorsqu'on traite la syphilis par les sels de bismuth, ceux-ci exercent une incitation sur la cellule hépatique qui sécrète alors des diastases spéciales détruisant les tréponèmes.

FONCTIONS DE RÉGULATION

Au niveau du foie s'effectuent des opérations de transformation, de reconstruction et de fixation. Il faut ajouter les fonctions de régulation dont nous avons mentionné l'une d'elles : celle de la production des œstrogènes, dont la folliculine.

Nous avons également évoqué le rôle essentiel joué par le foie dans les différents métabolismes. C'est ainsi qu'il intervient dans le métabolisme des lipides, dans la régulation des hydrates de carbone, dans la synthèse des protides.

On peut encore préciser qu'il régularise la teneur du fer dans les globules sanguins, de même qu'il contribue à la régulation de la fonction thermique, afin d'assurer la permanence de la température interne. Quand certaines parties de l'organisme manifestent une tendance à la congestion, le foie intervient comme régulateur de la circulation et, se comportant en réservoir, assure la concentration du sang.

L'importance de ces fonctions de régulation n'apparaît pas seulement lorsqu'il s'agit des transformations et opérations de synthèse, mais aussi dans l'élimination des surcroîts de substances nécessaires à l'organisme, tout en pouvant exercer une action nocive si elles dépassent un certain taux de concentration. C'est ainsi que le cholestérol est indispensable au fonctionnement normal des défenses de l'organisme, de même qu'à d'autres fonctions ; toutefois, l'accumulation de cette substance conduit à l'encrassement et est nettement nocive. Le foie doit donc répartir le cholestérol, selon les besoins, et en neutraliser le surplus. Il en est de même des corps dits « polypeptides », provenant de la désagrégation des protéines — comme les acides aminés — dont la présence dans le sang est une nécessité ; mais l'augmentation de leur taux de concentration devient un danger. Ces substances se conduisent alors comme des poisons.

La régulation du taux de polypeptides — comme celui du cholestérol — et l'élimination des excédents, sont assurés par le foie, s'il fonctionne normalement. Un trouble de fonction de cet organe amène alors un déséquilibre dans la répartition de ces substances — utiles d'un côté, nocives de l'autre — selon que le foie les utilise judicieusement ou non.

Lors de la suralimentation, le foie transforme en poisons (urée, etc.), destinés à être éliminés, les substances excédentaires. Si les fonctions de neutralisation, de régulation et d'évacuation sont défaillantes, cela conduit à l'intoxication de tout l'organisme et à des troubles sérieux, affectant certains organes essentiels. C'est ainsi que, de même l'arythmie peut être provoquée par certains corps chimiques toxiques, de même d'autres substances provenant de la désassimilation, et que le foie est parfois impuissant à neutraliser, peuvent causer les mêmes effets.

Le foie est encore mis à contribution pour l'équilibre homéothermique. Sa déficience permanente conduit à un abaissement de la température moyenne. De même, sa suractivité, sa congestion, peuvent contribuer à l'entretien d'une fièvre constante. L'hyperhépatique souffre beaucoup de la chaleur en été, alors que l'hypo supporte mal le froid et n'est pas bien à son aise l'hiver. La régulation des fonctions hépatiques permet de très bien supporter d'assez importantes variations de la température ambiante.

Quand une modification de la composition ou de la densité du sang survient par suite du désordre hépatique, on peut parfois observer l'apparition cyclique de petites taches, rouge vif, grosses comme la tête d'une épingle. Si l'on remarque le plus souvent ces taches sur les bras et la poitrine, leur naissance sur d'autres parties du corps n'est pas rare.

TROUBLES ET LÉSIONS

Avant d'étudier plus à fond les cas survenant le plus fréquemment, il est utile de dresser le tableau d'ensemble des troubles ou lésions, en nous en tenant à la terminologie classique :

A côté de chaque terme-étiquette, nous ajouterons une note succincte, quitte à revenir ensuite sur les cas où des explications complémentaires s'avéraient nécessaires.

ICTÈRE (ou jaunisse).— La coloration jaune de la peau et des muqueuses indique une imprégnation des tissus par les pigments biliaires se trouvant en excès dans le sang. L'ictère peut revêtir la forme aiguë ou être passé à l'état chronique.

On identifie plusieurs sortes d'ictères, selon leur origine, les désordres qu'ils engendrent à leur tour ou les complications qui surviennent. C'est ainsi que le terme ICTÈRE HÉMOLYTIQUE indique que la destruction massive des globules rouges s'accompagne d'anémie et d'augmentation du volume de la rate.

L'ictère peut surgir consécutivement à l'obstruction des voies biliaires ; la bile ne s'écoule plus normalement dans l'intestin. C'est l'ICTÈRE PAR RÉTENTION.

L'ICTÈRE PAR HÉPATO-NÉPHRITE est lié à des lésions ou troubles conjoints du foie et des reins ; alors que l'ICTÈRE PLÉIOCHROMIQUE, signalé surtout par la coloration foncée des selles, indique une trop grande abondance de pigments épaississant la bile et mettant entrave à son écoulement.

L'ICTÈRE BILIPHÉÏQUE, ou ICTÈRE VRAI, est le plus courant. Le passage de la bile dans le sang entraîne la coloration de la peau et des muqueuses. Les urines sont également teintées par suite de l'élimination des pigments biliaires.

L'intolérance gastrique est très marquée, des nausées et des vomissements surviennent et le manque d'appétit est total, ce qui est d'ailleurs heureux, car l'alimentation aurait un effet tout à fait défavorable. Le malade frissonne malgré la hausse de la température qui peut atteindre 39 ou 40°C. Si les urines sont foncées, par contre les selles sont décolorées, les pigments, éliminés en masse par les voies urinaires, font défaut aux intestins. Ces symptômes peuvent encore s'accompagner de maux de tête, de douleurs des articulations ou d'éruptions (urticaire).

Il n'est pas possible, et ce serait d'ailleurs sans tellement d'intérêt, de décrire toutes les formes de la CIRRHOSE, qui se caractérise surtout par une prolifération des cellules conjonctives, entraînant une augmentation du volume du foie.

L'HÉPATITE survient généralement par contamination lors d'une vaccination, d'une transfusion sanguine ou autre injection dans le sang. C'est une variante de l'ictère, et elle se soigne de même.

Bien que l'on reconnaisse plusieurs variétés d'HÉPATITE VIRALE, toutes relèvent du « Traitement en cas de crise » figurant plus loin.

Dans la CIRRHOSE ATROPHIQUE, la diminution de volume du foie accompagne la sclérose des tissus ; c'est le plus généralement la phase terminale de toutes les variétés de cirrhose.

Une des plus fréquentes est la CIRRHOSE ALCOOLI-QUE ou CIRRHOSE DE LAENNEC, qui s'accompagne toujours d'ascite (liquide dans l'abdomen). Le ventre est très volumineux alors que le corps devient très maigre. Les membres inférieurs sont enflés ; si l'on appuie avec le doigt, la dépression ainsi produite subsiste, le tissu est mou et indolore. Tout ceci indiquant la présence d'un œdème prononcé. Ces signes s'accompagnent de sécheresse de la bouche et de coloration rouge vif de la langue ; la peau est sèche et écailleuse. L'urine est de plus en plus rare ; une hémorragie peut survenir.

La CIRRHOSE D'HANOT-GILBERT est une autre forme de cirrhose alcoolique et les symptômes sont à peu près semblables. Seulement, le foie, qui est hypertrophié avec cette cirrhose, est, par contre, atrophié dans la CIRRHOSE DE

LAENNEC. Les deux variétés sont également très graves, et peu rassurantes les perspectives d'évolution.

En place de liquide, de la graisse peut s'accumuler dans les tissus hépatiques, c'est la CIRRHOSE HYPERTROPHIQUE GRAISSEUSE, alors que la CIRRHOSE HYPERTROPHIQUE BILIAIRE indique une sclérose du foie, qui augmente également de volume, de même que la rate. Cette cirrhose peut accompagner un ictère et en hypothéquer l'évolution. Dans la CIRRHOSE BRONZÉE, ce sont les pigments ferrugineux qui s'infiltrent dans le foie, les reins, etc., et donnent à la peau une teinte caractéristique (mélanose). La situation est généralement aggravée par un diabète sucré.

La prolifération du tissu conjonctif peut être provoquée par une inflammation des conduits biliaires. C'est la CIRRHOSE BILIAIRE, pendant laquelle le foie augmente ou diminue parfois de volume. Une manifestation tuberculeuse peut affecter à la fois l'enveloppe du cœur, le foie et le péritoine ; la CIRRHOSE CARDIO-TUBERCULEUSE, dont c'est le cas, est caractérisée par un gros foie, avec œdème et ascite abondante.

Quand l'organisme est assez déficient pour que des parasites puissent s'y installer et proliférer, il arrive que des larves du ténia échinocoque (hydatides) se logent dans le foie et forment des KYSTES HYDATIQUES.

Nous envisagerons, par ailleurs, quelle part le désordre hépatique peut prendre dans la genèse du CANCER. L'organe lui-même est parfois le siège de manifestations cancéreuses portant des étiquettes différentes, bien que l'évolution et le résultat final soient semblables dans la plupart des cas, que l'on se trouve devant un ictère néoplasique, un adéno-cancer avec cirrhose, un sarcome du foie, ou un cancer de la vésicule biliaire ou de l'ampoule de Vater.

Le foie est parfois le siège d'ABCÈS, évoluant lentement, avec montée de la température et sensations douloureuses assez localisées.

Dans la vésicule biliaire, une « boue » peut s'accumuler et donner naissance à des « calculs », concrétions d'éléments normaux de la bile : pigments et cholestérol, mal utilisés ou non éliminés. La présence de ces calculs dans les conduits biliaires est représentée par le terme de LITHIASE BILIAIRE. C'est lorsque se manifeste un début d'évacuation des concrétions qu'apparaissent les COLIQUES HÉPATIQUES, qui sont le plus souvent ressenties par les femmes. Le sommet de la douleur se situe vers trois heures du matin. A l'emplacement de la vésicule biliaire, sous le rebord costal droit, apparaissent soudainement les douleurs, avec maximum au niveau du sein droit et irradiations vers l'épaule et la pointe de l'omoplate droite. L'inspiration complète est parfois impossible, par suite d'un certain blocage respiratoire. S'il n'y a pas de troubles urinaires, des nausées, voire des vomissements, peuvent survenir. La bouche est amère ou pâteuse. Le deuxième jour de la crise, la température peut monter jusqu'à 40°C — indiquant l'importance de l'effort accompli par l'organisme — puis redescend en quelques heures. En tout, la crise dure environ trois jours.

Une température constante indique la persistance de l'état morbide et implique des soins prolongés dont les modalités sont précisées d'autre part.

L'INSUFFISANCE HÉPATIQUE peut être le fait de l'obstruction partielle des canaux biliaires par de la boue ou des calculs biliaires, mais souvent aussi celui d'une défaillance dans les fonctions. Un organe dégénéré peut ne pas présenter de lésions ou d'anomalies apparentes et pourtant n'être pas capable d'accomplir des fonctions normales.

Le surmenage alimentaire entraîne un ralentissement des fonctions hépatiques par engorgement des conduits. Il en résulte la classique « crise de foie » qui se manifeste par des nausées, voire des vomissements, de la constipation ou de la diarrhée, des maux de tête et des vertiges, des frissons, un teint terreux. Cette crise est parfois précédée de certains signes, différents selon les sujets (éblouissements, dégoût pour la nourriture, frilosité, sensations d'échardes sous les ongles, etc.).

LES SIGNES DU DÉSORDRE

QUELS SONT LES SIGNES APPARENTS, CONSTANTS OU NON, D'UN DÉRÈGLEMENT DU FOIE ?

Teint jaune.— On reconnaît la coloration jaunâtre de la peau, des muqueuses, du globe de l'œil.

Taches.— Parfois, la coloration n'est pas uniforme et donne naissance à des taches foncées au visage et sur la face dorsale des mains. La présence de cholestérol en excès se traduit par de petites protubérances aux paupières. Ces petites « cloques » ne présentent pas la même coloration que les tissus voisins. D'autres taches apparaissent sur le front, autour du nez. Souvent, la peau paraît mal lavée.

Nez rouge.— L'influence défavorable d'une déficience des fonctions biliaires, lors de la digestion, est souvent à l'origine du nez rouge.

La bouche.— Souvent la bouche est « pâteuse »,·surtout au réveil. On remarquera aussi une sensation d'amertume. L'haleine est « forte » ou même franchement nauséabonde. La langue est recouverte d'un enduit saburral, blanc, jaune ou même verdâtre. L'insalivation exagérée peut être provoquée par une inflammation de la vésicule biliaire.

Nausées.— Le désordre hépatique est presque toujours à l'origine des nausées et renvois de bile. Parfois aussi, surviennent les vomissements. Le sujet manque d'appétit et ressent une impression de dégoût, même devant les aliments habituellement appréciés. Le malade se plaint d'avoir « mal au cœur », parce que ces « écœurements » déterminent une sensation de « soulèvement » du cœur.

Gaz.— La présence de gaz dans l'intestin revêt un caractère normal, si le phénomène n'est pas trop fréquent, si ces gaz s'évacuent normalement par en bas et s'ils sont inodores. Lors du transit, les gaz exercent un utile massage des intestins et favorisent le péristaltisme. Trop souvent, il n'en est pas ainsi, et des gaz putrides s'accumulent, provoquant alors les inesthétiques et pénibles « ballonnements ». Ces gaz peuvent se répandre dans l'organisme ou se localiser en des « poches », cavités ménagées artificiellement dans ou entre certains organes. La cause de cet état de choses est dans une sécrétion insuffisante de bile. Au niveau du duodénum, le bol alimentaire, privé de bile, se corrompt, et il se produit alors un dégagement de gaz putrides qui, avant de se répandre dans le canal intestinal, provoquent un gonflement en ceinture, ce sont les « ballonnements ».

Points douloureux.— Il a été dit que les coliques hépatiques sont généralement le fait d'une évacuation — ou d'une tentative d'évacuation — de calculs biliaires, ou, tout au moins, d'une boue accumulée dans la vésicule. Or, la présence de calculs, ou même simplement celle de boue, dans la vésicule, peut se traduire, en dehors de ces réactions franches, par une inflammation permanente, voire une infection, de la vésicule et des canaux. Il en résulte une sensation de douleur, plus ou moins vive, dans la région sous-costale droite. Parfois, la douleur ne se manifeste qu'à la palpation ; en enfonçant un doigt sous les côtes, à droite, on ressent une douleur. L'inflammation de la vésicule et des canaux, de même que la congestion du foie ou son engorgement, provoquent souvent une sensation douloureuse dans la région de l'omoplate droite ou tout à fait sur l'épaule du même côté (mal en bretelles).

Etant donné l'emplacement de la vésicule dans la région sous-costale droite, c'est parfois avec étonnement que l'on constate qu'une déficience biliaire se manifeste à un point opposé, dans la région sous-costale gauche. Cela tient à la formation d'une poche de gaz, selon le processus décrit précédemment. La présence de la poche de gaz à ce point est très fréquente et provoque douleurs et autres troubles (oppressions, palpitations, etc.).

Maux de tête.— La constipation (souvent due à un mauvais fonctionnement du foie) ou les troubles hépatiques sont presque toujours à l'origine des maux de tête. Ce sont surtout des sensations de lourdeur, un mal en cercle au-dessus de la tête. Egalement une sensation de striction, de serrement au niveau des tempes.

Incommodités diverses.— Eblouissements et étourdissements peuvent survenir, consécutivement au surmenage hépatique, et aller même, parfois, jusqu'aux vertiges. Citons encore la neurasthénie et la dépression nerveuse.

Urine.— Un hépatique urine en plus grande proportion la nuit que le jour ; mais, en général, pas assez, le rein ne recevant pas les stimulants nécessaires. Une urine « chargée » évoque le dérèglement hépatique, de même que si elle est trop claire, ce qui indique que les pigments biliaires manquent et que les fonctions éliminatrices sont perturbées.

Sommeil.— Avec un foie encombré, le sommeil est imparfait et souvent troublé, notamment vers une ou deux heures du matin. Il ne revient parfois que vers le matin, après plusieurs heures d'insomnie pendant laquelle la détente n'est guère possible en raison de la gêne digestive et des pensées négatives qui en résultent. Par contre, des envies de dormir (somnolences, torpeur) surviendront dans la journée, surtout après les repas.

CONSÉQUENCES DIRECTES
D'UN DÉRÈGLEMENT HÉPATIQUE

MAUVAISE DIGESTION.— Alors que le bol alimentaire, après un bref séjour dans la bouche, reste environ 3 heures dans l'estomac, il va séjourner 6 à 7 heures dans la portion de l'intestin grêle appelée duodénum, et 10 à 20 heures dans le gros intestin. Il est donc de 16 à 27 heures sous l'influence de la bile, sur les 19 à 30 heures que dure la digestion. L'absence de bile rend impossibles ces phases de la digestion ; son insuffisante entrave leur processus normal.

MAUVAISES ÉVACUATIONS.— Selon que la bile s'écoule normalement ou non, qu'elle contienne tous les éléments nécessaires ou que sa composition soit imparfaite, selon qu'elle soit en suffisance ou non, les évacuations en subiront les conséquences heureuses ou fâcheuses. Le déséquilibre dans les fonctions biliaires peut se traduire par de la constipation, les sels biliaires stimulant le péristaltisme intestinal étant en déficit. Le litre de bile, sécrété chaque 24 heures, assure, grâce à sa viscosité, la lubrification de l'intestin. Souvent, des alternatives de diarrhée et de constipation aideront à poser le diagnostic. Les selles peuvent être décolorées ou, à l'opposé, hypercolorées ; il en est de même pour les urines. Au lieu d'avoir une consistance normale, les selles sont parfois mal moulées ou pas moulées du tout, ou encore en « ficelle », ou ont une consistance de mastic, etc.

SPASMES INTESTINAUX.— L'insuffisance de sels biliaires dans les intestins, ou un défaut dans la composition de la bile, peut être à l'origine d'un échauffement des parois intestinales. Cette irritation a sa répercussion sur les terminaisons nerveuses de ces parois et détermine parfois des contractions spasmodiques des viscères. Il a été souvent constaté que la normalisation de la fonction hépatique prélude à la cessation des spasmes intestinaux qui peuvent être aussi des manifestations de défense d'un côlon ulcéré.

COLIBACILLOSE.— La prolifération anormale du colibacille entraîne de sérieux troubles intestinaux ou urinaires, selon que ces bacilles en excédent se fixent dans l'intestin ou émigrent vers les voies urinaires.

Une flore très nombreuse et variée séjourne normalement dans l'intestin (caecum, plus généralement) et exerce une activité tout à fait favorable sur le processus terminal de la digestion si l'équilibre est maintenu entre ses constituants, parmi lesquels ont été identifiés : colibacilles, streptocoques, staphylocoques, protéus, bacilles pyocyaniques, bacilles botuliques, d'Ærtryck, de Gartner, des aérobies et des anaérobies, etc. Chacun ne devient dangereux qui si l'équilibre dans les proportions est rompu. C'est la bile normale qui régularise ce milieu, sa composition conditionnant l'état d'équilibre. Que certains éléments viennent à manquer dans la bile et c'est le désordre dans cette flore. Des espèces peuvent disparaître, d'autres prendre une prépondérance inquiétante. Le rétablissement de la situation ne découle pas d'une destruction des perturbateurs, mais du rétablissement d'un milieu normal.

VERS.— Ce qui est valable pour la flore l'est, en partie, pour tous les parasites (vers, etc.). Il ne s'agit pas de régulariser la répartition des espèces, mais d'entretenir un milieu ne leur permettant pas de subsister. Lorsqu'il y a suffisamment de bile dans l'intestin, et que cette bile contient tous ses éléments normaux, les vers ne peuvent ni prospérer, ni même séjourner. Si des larves sont introduites avec les aliments, elles sont vite acheminées vers les intestins, où la présence suffisante de bile est un obstacle à leur survie. Quand tout fonctionne normalement, vers et larves sont neutralisés et évacués rapidement. Il est souvent nécessaire d'envisager des mesures directes contre les vers et parasites du corps, mais ce ne sont que mesures secondaires, les primordiales consistant à remettre en marche normale le foie et ses annexes.

INFLAMMATIONS, INFECTIONS, FERMENTA-
TIONS.— Certains éléments de l'alimentation, imparfaitement transformés au cours du processus digestif, peuvent être
à l'origine d'irritations exercées sur les muqueuses intestinales,
et créer ainsi une inflammation pouvant dégénérer en infection. Inflammation et infection sont entretenues par un milieu
tout à fait défavorable lorsque ces éléments, insuffisamment
imprégnés de sels biliaires, agents émulsifiants de l'intestin, ne
tardent pas à fermenter dangereusement. Ce sont autant les
éléments eux-même que les produits de leur fermentation
putride qui entretiennent un dangereux état d'irritation, bien
connu des colitiques.

DÉMANGEAISONS ANALES.— Les déchets en cours
de fermentation créent un échauffement au passage dans le
rectum et à l'anus. D'autre part, le bol alimentaire, mal digéré,
libère des toxines tout le long du trajet intestinal ; ces toxines
passent dans le sang, causant ainsi une dangereuse intoxication. L'organisme se libère, en partie, de ces toxines par des
éruptions, dont certaines, au niveau de l'anus, sont cause de
désagréables démangeaisons. Lorsque l'intoxication atteint
cette région c'est l'indication qu'elle est arrivée à un stade
assez avancé et qu'il faudra de la persévérance dans la poursuite du traitement pour en venir à bout. La situation se rétablira progressivement, avec le retour à des fonctions hépatiques normales. Des vers (oxyures) séjournant dans le rectum
peuvent être à l'origine de ces démangeaisons ; on a vu précédemment que, là encore, il suffit d'une remise en ordre du foie
pour mettre fin à ce phénomène fâcheux.

FRILOSITÉ.— On remarquera qu'en cas de frilosité
excessive, le moment le plus désagréable se situe après les
repas, c'est-à-dire pendant les premières heures de la digestion. Un foie surmené fournit un gros effort — dès que l'aliment arrive dans l'estomac — pour déverser la bile dans
l'ampoule de Vater, où la rejoindra le suc pancréatique, le tout
devant arriver dans le duodénum en même temps que le bol
alimentaire (le chyme) libéré par l'estomac.

Cet effort accru peut mettre l'organe dans l'impossibilité partielle d'accomplir certaines autres fonctions. La circulation sanguine se ralentit, de même que certains échanges ou phénomènes vitaux tels que : oxydations, dissolutions, coagulation, réduction, hydratation et déshydratation, sur lesquels agit le foie par l'intermédiaire de ferments, diastases et enzymes. De ce ralentissement, il s'ensuit donc une frilosité excessive qui provoque même parfois des frissons et une très désagréable sensation de froid intérieur. Ces phénomènes pénibles s'atténuent, puis disparaissent à mesure que se rétablissent les fonctions hépatiques.

PYROSIS.— Ce terme désigne un ensemble de symptômes : sensation de brûlure partant de l'estomac et remontant par l'œsophage jusqu'à la gorge ; éructations et renvois de liquide acide et brûlant. Ces phénomènes se placent souvent au début d'ulcère à l'estomac, mais peuvent aussi être interprétés comme un signe d'hypoglycémie. Lorsque le métabolisme des glucides (sucres) est défectueux, la composition du sang est déséquilibrée, et des accidents peuvent survenir. C'est ainsi que l'ulcère à l'estomac est toujours précédé d'un dérèglement hépatique. Les brûlures à l'estomac, de même que les « remontées » de ce liquide acide, peuvent indiquer souvent un encombrement du canal digestif, lequel encombrement a encore pour origine l'insuffisance de la sécrétion biliaire. Donc, que le pyrosis indique ceci ou cela, le remède est dans le soulagement du travail hépatique par l'élimination des aliments contraires et la stimulation du foie par les moyens naturels.

DÉMINÉRALISATION.— Une sécrétion insuffisante des substances devant, normalement, être émises par le foie (sels biliaires, enzymes, etc.) ne permet pas la transformation parfaite des divers éléments de l'alimentation, leur utilisation et l'élimination des déchets. Il en résulte un état de dénutrition qui se traduira bientôt par des carences, des anomalies dans la constitution du corps, et des déficiences dans l'accomplissement de ses fonctions.

On parlera donc de déminéralisation, de décalcification, de carences en potassium, en magnésium, en phosphore, en iode, en fluor, en fer, etc. On pensera remédier à ces carences par des substitutions, des apports supplémentaires en substances devant combler le déficit. En réalité, il ne suffit pas d'introduire des surplus alimentaires pour régulariser la situation, mais de permettre à l'organisme d'utiliser au mieux les aliments normaux. C'est encore affaire de redressement des errements hépatiques. Quand les aliments sont conformes à la nature et que le foie accomplit son office, les carences se comblent sans autre intervention. La suralimentation ne parviendrait qu'à aggraver un peu plus la situation par le surme nage du foie qui en résulterait.

ANÉMIE.— Avec l'énoncé des fonctions hématopoïétiques, il a été dit comment le foie était chargé de détruire les globules rouges usés et de sécréter, avec ce qui en reste, une substance présidant à l'élaboration des globules neufs. Une déficience dans l'accomplissement de cette fonction peut aboutir à l'anémie, de même que si le foie fixe mal les matières protéiques, s'il transforme imparfaitement les aliments porteurs de fer et n'assure pas les réserves de ce corps minéral. Un dérèglement du foie peut aboutir à la destruction des globules rouges (hémolyse), aussi bien les vieux que les neufs. Avant donc de songer à introduire les aliments choisis comme convenables à favoriser la reconstitution du sang, il importe d'agir sur le foie pour rétablir ses fonctions dans leur intégrité.

DIABÈTE.— Le foie fabrique du glycogène, aux dépens des protéines et des hydrates de carbone ; un peu aussi avec les graisses. Ce glycogène est soumis à l'action des sucs pancréatiques, puis transformé en glycose ou glucose (sucre) par une nouvelle intervention du foie dont les cellules sécrètent une diastase spécialement réservée à cet effet. Ce sucre définitif est déversé dans le sang ou stocké dans le foie.

Que le foie fabrique trop de sucre ou qu'il soit dans l'impossibilité d'agir sur celui qui vient de l'intestin, le sang en reçoit un excédent qui filtre au niveau du rein et est expulsé avec les urines. Il y a donc, à la fois, hyperglycémie (excès de sucre dans le sang) et glycosurie (présence de sucre dans les urines).

FATIGUE DES VISCÈRES.— Une perturbation dans les fonctions hépatiques a sa répercussion sur les reins, le cœur, la rate qui peut augmenter de volume (splénomégalie). Si le foie transforme mal les déchets azotés en urée (fonction uropoïétique), les reins peuvent se bloquer. Une neutralisation imparfaite des substances toxiques présentes dans le sang conduit inévitablement au surmenage du cœur qui s'épuise au pompage d'un sang impur. Ces impuretés, non éliminées au niveau des viscères de l'abdomen, doivent l'être par les poumons qui supportent les conséquences de ce regrettable état de fait.

OBÉSITÉ OU MAIGREUR.— Le foie produit, retient ou détruit les graisses, selon les besoins. Un dérèglement dans l'accomplissement de ces fonctions a pour conséquence, ou bien de retenir trop de graisses et de n'en pas détruire l'excédent, ou bien de ne pas produire celles dont le corps a normalement besoin.

D'autre part, la neutralisation et l'élimination des excédents alimentaires peut laisser à désirer ; des substances résiduaires s'accumuleront alors dans les organes ou leurs tissus. Ces surcharges peuvent accentuer le déséquilibre des fonctions métaboliques (assimilation et désassimilation) ; il peut en résulter alors, aussi bien de l'obésité qu'une maigreur excessive.

Une élaboration déficitaire de substances protectrices prélude à l'envahissement de l'organisme par des toxines, de même qu'une sécrétion insuffisante en éléments transformateurs (enzymes, etc.) est à l'origine d'un état de malnutrition pouvant également conduire à l'amaigrissement par carences ou à l'embonpoint par accumulation de résidus des aliments non métabolisés. La même cause peut produire des effets apparemment opposés, selon les prédispositions.

APPENDICITE.— La sensibilité d'une région du foie peut faire souvent soupçonner une inflammation de l'appendice vermiculaire. Bien des prétendues « appendicites » ne sont en réalité que des points de congestion hépatique. Toutefois, dans l'appendicite vraie, le rôle du foie n'est pas négligeable, en raison des propriétés antiseptiques de la bile. C'est seulement si elle n'est pas émise régulièrement ou en quantité suffisante que la région appendiculaire s'enflamme et s'infecte.

LES TOXICOSES.— Selon que le foie assure bien ou mal certaines transformations, certaines opérations de synthèse ou de régulation, le milieu sanguin est normal ou déséquilibré dans une ou plusieurs de ses parties.

Il a été dit que le foie transforme les déchets azotés en urée, aux fins d'élimination par la voie rénale. Que cette transformation soit imparfaite ou que le rein ne trouve pas dans le sang les hormones ou les sels biliaires nécessaires à l'accomplissement de toutes ses fonctions, une partie de l'urée n'est pas éliminée et reste dans le sang, déterminant l'*urémie*. Si c'est l'acide urique qui séjourne dans l'organisme, on dit qu'il y a *uricémie*, ou plutôt : *hyperuricémie*, car la quantité d'acide est généralement en excès. L'*azotémie* indique une accumulation d'azote total, ce qui se produit lorsque le foie ne parvient pas à transformer en urée l'azote excédentaire qui n'est donc pas éliminé et reste anormalement dans les humeurs.

Si le pH sanguin est perturbé, et le taux d'acide par trop élevé, il en résulte un état d'*acidose*. La présence de trop d'éléments acidifiants dans l'alimentation ou les excès alimentaires conduisant à la formation d'acides, sont généralement à l'origine de l'*acidose*. La présence, dans le sang, de corps acétonémiques (acétone, acide diacétique, acide oxybutyrique), est spécialement indiquée par le terme d'*acétonémie*. *Acidose* et *acétonémie* disparaissent avec le redressement des erreurs alimentaires et la remise en état du foie.

C'est le foie qui est un artisan actif de la formation du glucose, dont il assure le stockage et la répartition dans le sang. Sa défaillance peut donc entraîner des perturbations dans le bon accomplissement de ces fonctions. La présence d'un excès de glucose dans le sang correspond à l'*hyperglycémie*. L'*hyperchlorurémie* indique un défaut d'élimination des chlorures excédentaires, tandis que l'*hypercholestérolémie* survient lorsque le foie laisse subsister dans le sang une quantité trop élevée de cholestérol, substance protectrice, nécessaire au bon fonctionnement de l'organisme, mais dangereuse au-dessus d'un certain taux de concentration. Il en est à peu près de même des polypeptides dont une trop grande quantité dans le sang *(hyperpolypeptidémie)* peut provoquer des troubles d'intoxication. Le drainage du foie et le redressement des déviations alimentaires suffisent, le plus souvent, à remédier à ces *toxicoses.*

ALCALOSE.— Il est remarquable que la même cause — en l'occurrence, un dérèglement des fonctions hépatiques — puisse aboutir à des conséquences aussi éloignées — en apparence — qu'acidose ou alcalose. Et pourtant, cela se conçoit très bien, quand on comprend comment se défend l'organisme et lorsqu'on sait quelle part importante le foie prend dans cette défense.

Nous avons vu que l'acidose indiquait un envahissement de tout l'organisme par les acides de désassimilation non évacués. Lorsque, à l'opposé, la réaction du sang est trop fortement alcaline, c'est l'indication que la transformation des déchets en acides — en vue d'évacuation — ne s'est pas effectuée normalement, du fait de la défaillance d'une fonction hépatique. L'organisme peut alors être surchargé par un surcroît de substances alcalines.

Il a été remarqué que l'état cancéreux s'accompagnait d'alcalinisation exagérée des humeurs, et l'on en a conclu — prématurément — qu'un sang alcalin prédisposait au cancer. Il s'agit là d'une interprétation trop hâtive, ne tenant pas compte de l'ensemble des phénomènes. Le cancer, c'est l'écroulement de tout le système défensif, dont l'alcalose peut marquer le début ; mais les deux phénomènes sont effets et non causes. Et encore doit-il s'agir d'alcalinisation. intempestive, morbide, et non de l'alcalinisation correcte du sang normal. Comme l'acidose, l'alcalose morbide peut être considérée comme le premier stade de la déchéance, aboutissant au cancer ou à d'autres maladies dégénératives. La santé est l'équilibre.

CONSÉQUENCES INDIRECTES D'UN DÉRÈGLEMENT HÉPATIQUE

TROUBLES DE LA VUE.— Le foie fournit en pigments différents organes ou tissus. Pour absorber convenablement les rayons lumineux ayant impressionné la rétine, la choroïde (enveloppe vasculaire de l'œil) doit être très riche en pigments. Une moins grande abondance de pigments a donc des conséquences défavorables sur la vue. De même, si des éléments nutritifs excédentaires ne sont pas neutralisés sous l'influence des sels biliaires, par suite de l'insuffisance de ces derniers, il se forme des corps toxiques que le sang peut déposer sur des organes électivement faibles. Dans une famille où l'on remarque fréquemment des troubles visuels, des dépôts de toxines peuvent se produire dans la région oculaire. Il en résulte une perte d'élasticité du cristallin, avec des troubles de l'accommodation qui s'ensuivent ; l'œil devient presbyte.

La malnutrition, découlant d'une défaillance hépatique, tant en ce qui concerne la sécrétion de sels biliaires ou de ferments que de celle d'hormones ou autres facteurs indispensables aux diverses opérations de transformation, fixation et neutralisation, peut évidemment se répercuter sur la fonction oculaire. Mal nourries, les cellules de l'œil s'atrophient et la conformation de l'organe en subit les conséquences. Ce défaut entraîne d'autres anomalies telles que : myopie, hypermétropie, astigmatisme et même diplopie (perception de deux images).

A l'appui de ce qui précède, on relève de nombreuses observations où certains troubles de la vision ont régressé ou même disparu. Les chances d'amélioration varient évidemment selon l'ancienneté de l'anomalie. C'est ainsi que la cataracte, due à l'opacification du cristallin sous l'influence de l'intoxication, peut céder, totalement ou en partie, avec une cure de désintoxication, intéressant le foie, au premier chef. Encore faut-il que cette opacité du cristallin ne remonte pas trop loin dans le temps et qu'il existe encore des possibilités d'élimination des substances opacifiantes et de revitalisation des tissus.

On remarquera encore que des lésions rétiniennes (décollement, hémorragie, etc.) sont une des conséquences de rétention intestinale, elle-même due à l'insuffisance de la fonction hépatique.

TROUBLES DE L'OUIE.— Certains s'atténuent, parfois assez pour n'être plus gênants, avec la remise en fonction du foie et de ses annexes. Ce qui a été dit pour l'œil est valable pour l'oreille, soit que celle-ci est victime d'un dépôt de substances toxiques, soit que les cellules de son mécanisme sont mal nourries, soit encore que les centres nerveux dont elle dépend subissent les conséquences d'une défaillance des fonctions hépatiques. L'engorgement du foie détermine une tendance à la congestion en général ; le sang peut s'accumuler près de certains organes et troubler leurs fonctions. C'est ce qui se passe si le sang stationne dans les canaux irriguant la région auriculaire. Des bourdonnements, sifflements, etc., peuvent avoir pour origine, aussi bien ces troubles de la circulation sanguine qu'une atteinte des os de l'oreille par suite de l'intoxication générale. Il est vain d'espérer le retour à la normale avec des seuls traitements locaux, sans action directe sur la fonction hépatique.

HYPERTENSION ARTÉRIELLE.— Pour les mêmes raisons que celles précédemment évoquées, le diamètre des vaisseaux se trouve diminué, ainsi que leur élasticité ; le sang est épaissi, souillé par les déchets. Il en résulte une augmentation de la tension dans les vaisseaux artériels.

PIGMENTATION DE LA PEAU.— Sous l'influence des rayons solaires, la peau de certains sujets prend, presque subitement, une coloration brune très accentuée, alors que d'autres ne présenteront qu'une très légère pigmentation cutanée après des expositions prolongées et répétées. Ces deux éventualités se rapportent à des cas anormaux. Une pigmentation soudaine et trop prononcée indique un excédent de sels biliaires dans le sang ou une trop grande sensibilité aux excitations provoquées par les radiations lumineuses ou calorifiques.

Une pigmentation trop laborieuse est l'indice que les centres déclenchant la fonction intéressée ne réagissent pas normalement, ou encore que le foie est dans l'incapacité de fournir tout ce qui lui est demandé. Les deux cas sont symptomatiques de la dévitalisation de l'organisme et de la déficience du foie.

Avec le retour à des fonctions hépatiques convenables, la situation se normalise et la pigmentation survient assez tôt et avec assez d'intensité pour protéger normalement l'organisme, en évitant autant les brûlures dues à l'insuffisance des pigments, que le tamisage excessif des rayons solaires, ce qui se produit avec une pigmentation trop poussée.

ENFLURE DES JAMBES.— On considère souvent que la défaillance du cœur peut être à l'origine de l'enflure des chevilles (œdème). Mais le cœur est souvent surmené du fait que les fonctions hépatiques, puis rénales, sont troublées. D'autre part, le foie contribue pour une grande part à l'utilisation des liquides et à leur élimination, ne serait-ce qu'en stimulant les reins avec des sels biliaires. Il a ainsi été maintes fois remarqué une atténuation de l'enflure des jambes après un traitement orienté vers la remise en état des fonctions hépatiques.

JAMBES ROUGES.— L'enflure précitée est parfois provoquée par la présence dans le sang de corpuscules — non éliminés au niveau du foie — qui bloquent les capillaires et entraînent la stase sanguine. Des tissus sont mal irrigués, des cellules littéralement asphyxiées. Du rouge, les jambes passent au bleu-violet ; elles donnent une sensation de lourdeur, par suite de cette malnutrition. Lorsque le foie sera de nouveau à même d'épurer convenablement le sang, les substances résiduaires seront éliminées et la circulation se rétablira progressivement.

ARTÉRIOSCLÉROSE.— Aussi bien cette affection que les états athéromateux (athérosclérose) ou les endartérites, indiquent un état d'encrassement des vaisseaux dont la tunique interne se recouvre progressivement d'une bouillie toxique. Composée surtout de graisses et cholestérol excédentaires, cette bouillie parvient à former des plaques solides entraînant le rétrécissement du conduit vasculaire et le durcissement de sa paroi. Ces vaisseaux sclérosés, en tuyaux de pipe, deviennent fragiles et risquent fréquemment la rupture, avec les conséquences qui en résultent (hémorragie, puis paralysie, etc.). La diminution du diamètre interne est un obstacle à la circulation, et, si le sang est en même temps épaissi — ce qui va généralement de pair — des arrêts peuvent se produire avec formation de caillot (thrombose) et ses corollaires (infarctus du myocarde, etc.).

Là encore, le foie joue un rôle important, étant donné sa responsabilité dans la genèse du cholestérol, la transformation des graisses, ainsi que dans la neutralisation et l'élimination des excédents et résidus. Il n'y a pas d'état sclérotique avec des fonctions hépatiques normales et une alimentation adéquate. Quelle que soit la profondeur de l'atteinte, une amélioration reste toujours possible.

MALADIES DE LA PEAU.— Que d'affections de cet ordre, vainement traitées pendant de nombreuses années, ont cédé à quelques semaines de traitement naturel du foie. Que de *furonculoses*, de séries d'*abcès*, ne sont plus que des souvenirs. Combien de malades sujets aux *orgelets*, aussi bien qu'à l'*œdème de Quincke*, à l'*urticaire,* au *prurigo-simplex*, ont vu céder leurs misères après la remise en état des fonctions hépatiques. Des *eczémas*, ayant résisté, pendant des années, à tous les traitements médicaux classiques, ont régressé puis disparu avec un bon drainage du foie et l'adoption d'une alimentation naturelle. Cela est valable également, aussi bien pour les *dartres* que pour la si tenace *acné*.

Il est facile de comprendre que les substances toxiques n'ayant pas été neutralisées par le foie se répandent dans le sang, surtout dans les petits vaisseaux (capillaires) sillonnant la peau. Bloquées dans ces capillaires, les toxines provoquent à la fois l'irritation des tissus cutanés et celle des terminaisons nerveuses, d'où ces désagréables démangeaisons. Avec les furoncles et les abcès, c'est une tentative d'élimination des toxines qui est tentée. Neutralisées au niveau du foie, ces toxines n'auraient pas à être éliminées par la peau, mais par les voies normales d'évacuation.

PICOTEMENTS.— Pour des raisons indiquées précé demment, des picotements se manifestent parfois aux yeux ou à la gorge ; de même que les yeux peuvent être « bordés de rouge » (blépharite). Tout ceci relève de la remise en état du système hépatique, ce qui découle de nombreuses observations.

ASTHME ET RHUME DES FOINS.— On invoque bien des raisons à l'éclosion de l'asthme ou du rhume des foins, il n'en reste pas moins que l'on ne peut obtenir de guérison sans remise en état du foie. Les phénomènes anaphylactiques ou les diverses allergies n'ont généralement pas d'autre origine que le désordre hépatique.

Dans la plupart des cas, ces affections succèdent à un défaut de sels biliaires et de pigments dans le sang. Il est d'ailleurs remarquable de constater qu'une jaunisse peut amener une amélioration de ces états.

On ne trouvera pas plus des fonctions hépatiques normales dans un cas d'asthme que la présence de ce même cas avec un foie fonctionnant normalement. Il a toujours été constaté des améliorations dans l'asthme et le rhume des foins, conjointement avec le rétablissement hépatique.

RHUMATISMES.— Traiter les rhumatismes, au mépris de la fonction hépatique, est inopérant et d'autant plus dangereux que certains remèdes classiques agissent très défavorablement sur le foie, lequel s'épuise en essayant de les neutraliser.

Par contre, de nombreuses observations apportent la confirmation du rapport entre la guérison du rhumatisme et la remise en état du foie. Comme pour l'asthme et le rhume des foins, on a enregistré des améliorations dans certains cas rhumatismaux, à la suite de jaunisse, ce qui démontre bien le rôle utile des pigments et sels biliaires et l'intérêt qu'il y a, pour la santé, à ce que le sang en recèle une quantité suffisante.

Le dérèglement du foie peut être à l'origine de crises de sciatique, soit que la congestion du foie s'étende aux organes voisins (nerf sciatique droit, notamment), soit par suite de la carence d'une substance sécrétée par le foie et assurant la nutrition des nerfs.

REIN FLOTTANT.— Il est à remarquer que c'est presque toujours le rein droit qui manifeste une tendance à la ptôse. Ce voisinage avec le foie, sous lequel il se trouve placé, n'est sûrement pas une coïncidence.

DÉSÉQUILIBRE GLANDULAIRE.— Le foie sécrète des hormones et en neutralise d'autres (l'œstrogène par exemple). Dans la cirrhose, cette fonction est ralentie et l'œstrogène s'accumule assez pour produire des effets féminisants sur les sujets mâles (augmentation du volume des seins, diminution de la pilosité, etc.). Parallèlement, un dérèglement du foie peut aboutir à une destruction intempestive de folliculine chez la femme et déterminer des effets masculinisants.

A la ménopause, le mauvais fonctionnement du foie accentue grandement les troubles et contribue au ralentissement de la circulation.

MALAISES AU MOMENT DES RÈGLES.— Organe endocrinien, le foie influe sur la sécrétion des autres glandes endocrines et exerce une fonction régulatrice. Etant donné son influence sur les glandes génitales, on comprend qu'un désordre hépatique amène un désordre ovarien et qu'un phénomène de réversibilité se manifeste à l'ovulation ou aux règles. A ce moment, peuvent alors survenir nausées, migraines, vertiges, du fait du surmenage du foie. La normalisation des règles, autant en fréquence ou en durée qu'en intensité, suit toujours celle des fonctions hépatiques.

FAIBLESSE MUSCULAIRE OU TENDINEUSE.— La malnutrition des tissus constitutifs du système musculaire conduit à de fâcheuses lacunes. Le relâchement, dû à cet état de fait, des muscles et tendons, peut permettre, par exemple, des déplacements de vertèbres ou de disques cartilagineux intervertébraux. L'assemblage vertébral est maintenu grâce à un système de haubans — comme le mât d'un navire ou une antenne d'émetteur de T.S.F. — constitué par des muscles et tendons. Que ces haubans, affaiblis par la dénutrition ou la carence de certaines substances (hormones, etc.) sécrétées par le foie, viennent à flancher, et les pièces de la colonne vertébrale pourront se déboîter ou se déplacer. On pourrait remettre les vertèbres en place, mais pour qu'elles s'y maintiennent, il importe de remédier aux causes du fléchissement en favorisant la reprise des fonctions hépatiques normales.

Cette faiblesse musculaire est souvent aussi à l'origine des déboîtements de genoux et l'on remarquera que les cartilages en subissent les fâcheuses conséquences, notamment ceux de la cloison nasale, dont la déviation est significative d'un désordre hépatique.

PIEDS PLATS.— On commet une erreur lourde de conséquences en tentant de remédier à cette anomalie par le recours aux accessoires orthopédiques. Le traitement des pieds plats est affaire de cataplasmes d'argile locaux et de remise en ordre du système hépatique.

Pour les raisons développées précédemment, la voûte plantaire ne s'affaisse que si faiblissent muscles et tendons.

Nombreux ont été les cas de guérison de pieds plats avec un traitement naturel tenant compte de ces indications.

PSYCHASTÉNIE.— Des spécialistes ont remarqué de nombreux cas de déficience hépatique chez des psychasténiques, des neurasthéniques, des instables ou autres névropathes. Par répercussion sur le système sympathique et les glandes endocrines, le désordre hépatique peut être à l'origine de troubles d'ordres divers (nervosisme, anxiété, migraines, etc.). Si le foie transforme imparfaitement les albumines, cette déficience peut provoquer la formation de poisons qui, se déversant dans le sang, donneront lieu à des troubles humoraux se répercutant sur le système sympathique et provoquant des troubles fonctionnels et, parfois même, des lésions. Le Professeur Mouriquand, cité par le Docteur A. Colin, a pu écrire que « chez les enfants déséquilibrés, c'est avant tout le système hépatique qui est à la base de leur système nerveux ». Il est donc illusoire d'espérer un retour à des fonctions nerveuses normales, tant que le système hépatique reste troublé.

CELLULITE.— Autant en raison des poisons que le foie déficient peut fabriquer, que ceux qu'il laisse passer, la cellule, recevant un sang impur, en subit évidemment les conséquences. La situation est aggravée du fait que les éléments normaux du sang, assurant la nutrition de la cellule, peuvent faire défaut. La cellulite n'est donc pas un trouble isolé, mais un à-côté du désordre général. Dès lors, il est vain d'escompter de pommades ou autres remèdes locaux, la guérison d'une affection profonde. Si la cellule est malade — et dans la cellulite, elle l'est — c'est tout le corps qui est malade et, en l'occurrence, il l'est surtout par suite de l'engorgement du foie. Le traitement naturel de la cellulite sera donc celui des troubles hépatiques.

VARICES. HÉMORROÏDES.— Aux raisons invoquées au chapitre précédent, c'est-à-dire le filtrage défectueux, au niveau du foie, des toxines du sang, ou de celles provenant d'une transformation incomplète des éléments nutritifs, il y a lieu d'ajouter l'éventualité d'une déficience des fonctions endocriniennes du foie. Le défaut de certaines hormones provoque un relâchement de la paroi des veines, lequel relâchement est aggravé par suite de la présence, dans le sang, des toxines venant s'accumuler vers ces endroits affaiblis.

On a déjà vu quelle influence le foie peut exercer sur les diverses sécrétions glandulaires, aussi peut-on admettre que la défaillance de certaines de ses fonctions ait des répercussions sur le système veineux. Cela ressort d'ailleurs des observations de régressions de varices ou d'hémorroïdes, consécutives à l'amélioration des fonctions hépatiques.

HYPERTENSION PORTALE.— Une autre cause d'hémorroïdes réside dans l'augmentation de la tension sanguine dans la veine porte, qui va de l'intestin au foie. Si le blocage des filtres rénaux conduit à l'hypertension artérielle, le sang venant vainement « buter » contre l'obstacle constitué par ces filtres bloqués lors de l'obstruction du foie, conduit à l'hypertension portale. Cette situation évoque le tuyau d'arrosage dont on ferme le robinet de la lance, alors qu'est ouvert celui d'arrivée d'eau ; la pression s'accentue ainsi dans le tuyau.

Quand le foie, ou filtre hépatique, est encombré, le sang venant de l'intestin par la veine porte ne peut librement passer ; la tension augmente alors, entre intestin et foie, dans la veine porte. Avec les hémorroïdes, déjà évoquées, les conséquences de l'hypertension portale se traduisent par : l'augmentation du volume de la rate (splénomégalie) qui est un réservoir placé en dérivation sur le système veineux portal ; la rétention de gaz dans tout l'abdomen qui se trouve ainsi gonflé, et d'eau dans les tissus (ascite). En raison de l'état de cirrhose, le foie est augmenté de volume.

On comprend le danger de traiter *artificiellement* les hémorroïdes qui se comportent, dans ce cas, comme des soupapes de sûreté. Leurs suintements peuvent contribuer à éviter la rupture d'une varice œsophagienne.

VÉGÉTATIONS ET AMYGDALITE.— Lorsque le foie n'est plus dans la possibilité d'assurer la neutralisation des toxines véhiculées par le sang, d'autres organes peuvent s'efforcer à suppléer cette déficience. C'est ainsi que les amygdales sont parfois mises à contribution pour collaborer à cette épuration. Il a d'ailleurs été remarqué qu'une jaunisse peut survenir après l'ablation des amygdales, ce qui indique le déplacement du foyer morbide. Les amygdales ont tenté de seconder le foie défaillant ; l'interruption de l'entreprise provoque le retour des toxines vers le foie dont le surmenage accru se traduit par la jaunisse ou autre manifestation morbide.

D'autre part, un déséquilibre en entraîne un autre, une perturbation se transmet en chaîne. C'est ainsi que l'exaltation des fonctions salivaires, dans la cirrhose alcoolique, peut entraîner une hypertrophie des parotides, qui indique un effort d'adaptation du tissu glandulaire. De même, l'hypertrophie des amygdales ou le développement de végétations adénoïdes traduit une tentative d'adaptation à la situation anormale qui découle du blocage partiel ou de la défaillance du foie.

SINUSITE ET CORYZA. — Il est vain de s'évertuer au traitement local de ces incommodités si l'on n'agit pas en même temps sur le foie. L'expérience harmoniste a largement démontré la relation entre le fonctionnement défectueux du foie et l'apparition de troubles divers dans les voies respiratoires supérieures. Si l'on fait un effort d'observation, on remarquera bien vite que le coryza suit souvent un écart alimentaire, ce qui se produit par exemple à l'époque des fêtes de Noël et de fin d'année. Le refroidissement de la température étant généralement incriminé, on omet de faire le rapprochement précité. Pourquoi cette période de l'année est-elle plus fertile en rhumes de cerveau que les autres parties de la saison froide ? Parce que le foie débordé laisse filtrer des toxines dont l'organisme tentera de se débarrasser par d'autres moyens. Il faut penser aussi à une faiblesse organique permettant à ces toxines d'encombrer certaines voies et d'y causer un état d'inflammation, voire d'infection.

Le foie fonctionnant normalement déverse dans le sang des substances protectrices assurant la neutralisation des dangereux déchets et libérant ainsi les parties de l'organisme en mauvaise posture du fait de l'accumulation de ces détritus et des troubles qui en découlent. Si le foie n'assure pas un drainage convenable de l'organisme, des éliminations de substitution peuvent survenir dans le nez, l'arrière-gorge (cavum), etc. Il est inutile de chercher plus loin l'origine des rhinites.

Il ne faut donc pas se contenter de pratiquer des lavages avec de l'eau argileuse, salée ou citronnée, ou de mettre dans le nez des gouttes de citron pur ou coupé d'eau, pour être libéré d'une sinusite ou d'un coryza, mais encore sera-t-il nécessaire d'agir sur le foie pour en rétablir les fonctions normales.

BRONCHITE CHRONIQUE.— La congestion du foie, qui se répercute presque immanquablement sur les bronches, est à la genèse de l'état catarrhal de la muqueuse bronchique. L'absence ou l'insuffisance de certaines substances protectrices, habituellement émises par le foie normal, entraîne la sécrétion supplétive des mucosités présentes dans la bronchite. Le besoin d'expulsion de ces mucosités est satisfait avec l'apparition de la toux, phénomène nécessaire dans cette situation.

Le traitement de la seule bronchite peut amener une amélioration apparente, mais il faut toujours craindre le déplacement du mal dont la cause persiste. On ne sera pas étonné alors devant l'apparition d'autres désordres, même si le siège est éloigné de celui que l'on s'est évertué à faire disparaître. Ce n'est pas aux symptômes qu'il faut s'attaquer, mais bien à leur cause.

Il suffit d'une remise en ordre de la fonction hépatique pour voir cesser rapidement les manifestations de la bronchite ; les remèdes spécifiques n'ont qu'une action secondaire.

Un assez grand nombre d'observations a été fait en ce sens pour permettre de donner l'assurance aux bronchiteux de voir cesser leurs misères, s'ils entreprennent un traitement favorable au foie.

PARALYSIES PAR SCLÉROSE.— La sclérose est caractérisée par le durcissement, le vieillissement précoce des tissus. Si elle a son point de départ dans le foie, on suppose aisément qu'elle se propagera ensuite et gagnera les vaisseaux, d'autres organes, la moelle osseuse, etc. En ce qui concerne le foie, sa sclérose se manifeste par un gonflement de l'organisme, consécutif à la rétention de gaz provoquée elle-même par la sclérose de l'organe qui durcit et comprime ses vaisseaux. Ensuite, c'est le liquide qui est retenu (ascite) ; les veines sont gonflées, les hémorroïdes apparaissent.

On reconnaît maintenant que la sclérose en plaques aurait son origine dans un déséquilibre des échanges nutritifs. Lesquels échanges sont, pour la plupart, sous la dépendance du foie. L'atrophie du foie conduit donc à la sclérose générale : sclérose des plaques nerveuses, de la moelle, des tissus non vascularisés, des cartilages articulaires et membranes fibreuses, et surtout de la tunique interne des vaisseaux.

Indépendamment des symptômes connus de l'artériosclérose proprement dite, la sclérose peut avoir plusieurs conséquences, notamment la perte d'élasticité des aponévroses abdominales (à l'origine des hernies), la rétraction de la paume des mains, le durcissement du tympan de l'oreille et celui des membranes du médiastin. Ces deux dernières anomalies rendent sourdes ou poussives les personnes âgées.

TENDANCE AUX HÉMORRAGIES. HÉMOPHILIE. — La vitamine K, antihémorragique, n'est vraiment active qu'en présence de la bile. Une sécrétion insuffisante prédispose donc aux hémorragies, par avitaminose K. On a vu, d'autre part, que le foie forme aussi cette substance appelée fibrinogène qui favorise la coagulation et dont la raréfaction peut entraîner l'hémophilie. Ce fibrinogène est ensuite converti en fibrine, élément constitutif du caillot, par un enzyme : la thrombine (qui joue le rôle de la présure, ou renine, du lait).

STÉRILITÉ ET IMPUISSANCE. — Nous connaissons maintenant l'interaction des sécrétions hépatiques et génitales et l'on comprend qu'un dérèglement des premières fonctions entraîne celui des secondes. D'autre part, il reste à remarquer que, comme la vitamine K, la vitamine E, dite de fertilité, demande aussi la présence de la bile pour exercer toute son activité.

RÉCEPTIVITÉ AUX PIQÛRES D'INSECTES. — Il a été observé que les végétaux robustes, à leur place exacte dans le milieu naturel, résistent bien aux divers parasites dont leurs congénères plus faibles sont victimes. Il en est de même pour les êtres humains quand leurs défenses fonctionnent convenablement et qu'entre autres, le foie sécrète ce qu'il faut de substances protectrices.

La réceptivité aux piqûres indique donc une carence d'éléments protecteurs dans les humeurs. Il a été observé que la suractivité de la glande hépatique (correspondant à celle de la glande thyroïde) est à l'origine d'une réceptivité aux piqûres de moustiques, alors que sa sous-activité (correspondant à l'hypothyroïdie) prédispose aux atteintes par les puces.

D'autres observations ont apporté la confirmation que les sujets deviennent de moins en moins réceptifs, dans la mesure où s'améliorent les fonctions hépatiques.

TUBERCULOSE. — Il n'y a pas de tuberculeux qui présentent un foie convenable, et il est malheureusement avéré que les traitements médicamenteux de la tuberculose accroissent encore le désordre hépatique. C'est pourquoi on ne peut jamais parler de guérison totale par les techniques dépendant de l'industrie chimique. Le tuberculeux que l'on dit guéri n'est que stabilisé, et il lui est d'ailleurs conseillé de se comporter toute sa vie en tuberculeux qui doit se méfier du soleil, de l'eau et de l'air froids, de la fatigue, etc.

L'état tuberculeux est le sommet d'une accumulation de processus morbides. La tuberculose ne peut survenir que s'il existe une prédisposition héréditaire et si les fonctions de la nutrition ont été déréglées par le fait d'une alimentation mal équilibrée ou comportant habituellement des éléments toxiques. C'est seulement après la dégradation des organes intéressés que les phénomènes morbides gagnent les poumons.

D'autre part, il faut tenir compte qu'un foie déficient ne sécrète pas suffisamment de substances protectrices pour mettre le système pulmonaire à l'abri de toute atteinte. On remarquera encore que la tuberculose est une maladie de dégénérescence, laquelle découle tout naturellement de celle du foie.

Pour qu'un tuberculeux envisage la guérison et la reprise d'une vie normale, il lui faut, avant tout, veiller à la remise en état de son système digestif, à commencer par le foie et ses annexes. Il reconstituera alors le réseau des défenses naturelles, ainsi que les tissus lésés, et assurera à toutes les cellules de son organisme les éléments vitaux, en même temps que seront détruits, puis éliminés, les déchets alimentaires et autres substances toxiques.

CANCER. — On peut renouveler ici les remarques faites à propos de la tuberculose. Il n'y a pas de cancéreux dont le foie s'acquitte convenablement des tâches qui lui échoient. Tout comme la tuberculose, le cancer est le signe d'un état de dégénérescence à son dernier stade. Les cas sont d'ailleurs fréquents de cancers du poumon succédant à une lésion tuberculeuse, considérée comme guérie ou stabilisée par les remèdes chimiques.

Le cancer survient lorsque fléchissent brusquement et définitivement toutes les fonctions défensives, après de nombreuses réactions curatives interceptées avec l'aide de remèdes non naturels. Les maladies ainsi refoulées ou déplacées ont permis l'accumulation des principes morbides et l'épuisement des réserves vitales. Il s'ensuit une imprégnation des centres directeurs et le dérèglement des transmissions. Les ultimes réactions de défense aboutissent à l'installation d'un nouvel équilibre, hors des exigences biologiques normales. Cet équilibre « dans le déséquilibre » peut comporter des formations parasitaires. Ces accumulations d'éléments morbigènes n'ont rien de comparable avec une construction normale ; elles se poursuivent jusqu'à ce qu'intervienne la phase terminale de désagrégation.

Le rétablissement d'un équilibre véritable, dans le cadre des phénomènes biologiques normaux, est tributaire de la remise en route des fonctions nutritives normales, afin que les centres intéressés disposent bien des éléments vitaux et qu'ils soient dans la possibilité d'en assurer la répartition, ainsi que l'élimination des déchets et des cellules provenant des proliférations morbides. C'est donc en agissant électivement sur le foie et ses fonctions que l'on pourra remédier à un état précancéreux.

CE QUI DÉGRADE LE FOIE

L'ALCOOL. — Bien que l'on essaie parfois de justifier l'usage de l'alcool, en assurant que la cirrhose du foie résulte plus d'une carence en protides que de l'intoxication alcoolique, de nombreuses observations scientifiques prouvent, sans contestations possibles, que l'alcool exerce la plus néfaste influence sur tous les organes en général et sur le foie, en particulier. C'est ainsi que, faisant état d'une expérience prolongée, le Prof. D. Delore précise que, sur 80 cas de cirrhoses, 76 étaient dus à l'alcoolisme.

Il serait d'ailleurs étonnant que le pouvoir sclérosant de l'alcool ne s'exerce pas au détriment du tissu hépatique. Ce sont d'abord les vaisseaux qui se durcissent, mettant entrave à la circulation du sang ; des déchets s'amassent, que le foie s'épuise à neutraliser. Ses cellules mal oxygénées, mal alimentées, dépérissent et meurent ; les tissus se sclérosent ; les fonctions sont perturbées. C'est ainsi que le sang n'accède pas librement au cœur ; de cette stase résulte une transudation du plasma dans l'abdomen, d'où l'hydropisie.

L'intoxication alcoolique n'a pas pour seule origine l'alcool de distillation, mais aussi le vin et toutes les boissons plus ou moins alcoolisées. Celui qui boit, chaque jour, un litre de vin à 10°, a absorbé l'équivalent d'un verre d'1/10e de litre d'alcool pur ; tous les 10 jours, il a bu son litre du même alcool à 100°. Comment les fragiles cellules du foie pourraient-elles résister ? Cette irritation continuelle conduit à la cirrhose hypertrophique. Par la suite, le tissu conjonctif (de remplissage) proliférera au détriment des cellules constitutives normales, d'où l'augmentation de volume de la glande (gros foie), avec toutes les perturbations de fonctions que cette dégénérescence détermine.

De même que le vinaigre, l'alcool élève le taux de cholestérol de désassimilation présent dans le sang, et contribue ainsi à l'intoxication générale. Il suffit que de l'alcool soit mis en présence des aliments pour que les vitamines de ces derniers soient rendues inactives ; il en résulte donc des carences par inhibition. L'alcool constitue également un obstacle à la synthèse, par le foie, de la vitamine A à partir du carotène.

L'HUILE DE FOIE DE MORUE. — Parmi les agents responsables de la dégénérescence du foie de la presque totalité de nos contemporains, il faut donner une place toute particulière à cette horrible mixture.

Après l'alcool, et avec le lard, l'huile de foie de morue possède le triste privilège d'entraîner la cirrhose (prolifération de tissu morbide) et même la nécrose (mortification de la cellule) des cellules hépatiques. Cette action néfaste de l'huile de foie de morue a d'ailleurs fait l'objet d'observations scientifiques expérimentales, notamment celles du Dr P. Gyorgy (professeur de nutrition à l'Ecole de Médecine de l'Université de Pennsylvanie, à Philadelphie), relatées dans le volume 42 du Bulletin de la Société Scientifique d'Hygiène Alimentaire.

Toute une génération a été intoxiquée, et ce n'est malheureusement pas fini, car on s'efforce toujours de pallier la carence de vitamine D, donc de soleil, avec ce jus de cadavre, ou autres remèdes similaires.

LA VIANDE ET LES GRAISSES ANIMALES. — Tous les arguments invoqués en faveur de la viande tombent devant l'expérience qui, seule, apporte les preuves de la malfaisance de la viande à l'égard du foie. Trop nombreux sont les hépatiques guéris par suite de l'abstinence de viande, pour que le doute subsiste. Si, à propos de l'alcool, il a été remarqué que les cirrhotiques absorbaient souvent très peu de protides, c'est tout simplement que l'intoxication alcoolique était assez avancée pour mettre entrave à l'appétit.

C'est d'ailleurs une erreur de croire que, seule, la viande peut apporter les protides nécessaires à l'entretien de la vie. Bien des aliments du règne végétal sont aussi riches, sinon plus, que la viande, en protides. Si l'on veut tenir compte de la qualité de ces protides, et notamment de leur possibilité de dégradation en acides aminés, on a l'assurance de trouver ces éléments nécessaires dans des aliments non toxiques.

Non seulement les protides de la viande ont déjà été utilisées, en partie par l'organisme auquel elles appartenaient, mais encore elles sont accompagnées de substances de désassimilation présentes dans la texture de la chair au moment où l'animal a été abattu. Ces déchets sont des poisons que le foie s'épuise à neutraliser. N'oublions pas que le foie de l'animal carnivore a une capacité bien supérieure à celle du foie humain ; proportionnellement, cela s'entend. L'animal peut souvent absorber des aliments corrompus, sans être autrement affecté, si cela est dans sa nature.

LES MÉDICAMENTS ET ALIMENTS DE SYNTHÈSES.— Toute substance chimique est une inconnue pour l'organisme humain qu'elle meurtrit. Introduit directement dans le sang ou empruntant le conduit digestif, le produit chimique aboutit inévitablement au foie qui doit en humaniser les parties, neutraliser ce qui est inacceptable, éliminer les résidus de la synthèse. Il lui faudra encore assurer l'évacuation des cellules endommagées par le contact de cet intrus.

Toutes les substances chimiques, contribuant à la corruption du milieu naturel, sont à l'origine du déséquilibre et de la maladie. Elles affaiblissent les défenses par la destruction de substances protectrices ou l'inhibition des centres commandant le mécanisme de l'immunité.

C'est ainsi que certains antiseptiques ou les antibiotiques, absorbés par voie buccale, font une hécatombe de microbes et portent la perturbation dans la flore bacillaire intestinale. Presque tous les microbes intestinaux sont détruits, sauf ceux qui sont particulièrement résistants. Ces survivants, si robustes, n'ayant plus les variétés voisines pour régulariser leur reproduction, vont proliférer à loisir et envahir les voies digestives et organes de la nutrition, foie compris. L'organisme essaie de se défendre par des diarrhées, mais tant que le terrain originel ne sera pas reconstitué, l'infection s'étendra et se propagera.

Dans un intestin normal, les microbes s'entredétruisent, dans le respect de l'équilibre initial. Il est donc dangereux d'introduire un destructeur artificiel qui agit d'une manière anarchique. Et de plus en plus la chimie envahit la pharmacie et l'épicerie ; il y a peu de différence à faire entre un remède chimique et un potage concentré obtenu grâce à l'intervention des chimistes. La plupart de ces « extraits », s'ils n'ont pas pour base de la corne dissoute dans l'acide sulfurique, sont obtenus à partir du glutamate de sodium. Cette substance passe pour exciter favorablement les papilles gustatives du consommateur au goût corrompu par la chimie alimentaire.

La perturbation de la flore digestive, qui résulte de l'utilisation de produits aussi antinaturels, peut provoquer la prolifération des colibacilles et les rendre virulents. Si la production de bile est insuffisante, ces bacilles ne sont pas neutralisés dans l'intestin et, captés par le sang, ils atteignent soit les reins, soit les canaux hépatiques. A ce niveau, la bile est encore incomplète et ne renferme pas tous les éléments de protection qu'elle déversera plus tard dans les intestins. En état de moindre défense, elle est vite corrompue par ces hôtes intempestifs. Il en résultera un état inflammatoire, favorable à la formation de calculs biliaires. La sécrétion de bile s'en trouvera d'autant réduite et l'assainissement des intestins de moins en moins assuré. Un circuit infernal s'ouvre.

Cette utilisation imprévue de la bile par les aliments ou médicaments chimiques, la corruption qui s'ensuit, contribuent aux putréfactions intestinales, donnant naissance à des déchets particulièrement toxiques : acides organiques et dérivés indolés et phénolés. Ces poisons, à leur tour, vont s'attaquer à la bile, laquelle, encore plus corrompue, viendra souiller le canal intestinal et accroître les putréfactions. On comprend alors combien il importe d'exclure les remèdes et aliments chimiques pour permettre la reconstitution du milieu normal.

MARGARINES ET HUILES INDUSTRIELLES. — De nombreuses sortes de margarines sont à base de graisses animales (suif en branches) ou d'huile de baleine. Pour que ces huiles puissent se solidifier après liquéfaction à une certaine température, il est nécessaire qu'elles puissent fixer l'hydrogène de l'air. Elles seront donc traitées en présence d'un catalyseur, le plus souvent du nickel, dont il peut subsister des traces dans le produit fini. Cette hydrogénation catalytique a également pour but de désodoriser les graisses animales dont l'odeur découragerait le consommateur.

Les traces du catalyseur utilisé ont une action pernicieuse sur le foie qui doit en assurer la neutralisation. D'autre part, cette opération d'hydrogénation des huiles se fait au prix de la destruction de certains acides (polyéthiléniques) indispensables à la formation des tissus. La glande hépatique ne trouve pas dans ces produits les substances nécessaires à la reconstitution de ses cellules usées.

Même si la graisse de base de la margarine est d'origine végétale, il faut prévoir tout de même l'hydrogénation catalytique et, d'autre part, des griefs sont à formuler à l'encontre de certaines huiles et graisses végétales. Le principal est que les procédés d'extraction comportent le recours aux solvants chimiques et à des températures assez fortes pour détruire la plupart des éléments vivants. D'autre part, les oléagineux étant généralement décortiqués au préalable pour réduire les frais de transport, leurs constituants s'acidifient et contribuent à rendre l'huile ou la graisse, dont ils constituent la base, encore plus acidifiante.

Comme nous connaissons le rôle du foie dans le maintien de l'équilibre acido-basique, il n'y a pas de doute que ces fonctions soient perturbées par une prépondérance d'éléments acidifiants. De plus, margarines et huiles industrielles, étant très indigestes, nécessitent un effort constant du foie pour remédier à la situation ainsi créée.

Nous savons aussi que les graisses animales cuites contribuent à la genèse de la cirrhose et de la nécrose des cellules hépatiques.

L'EXCÈS DE CUISSON. — Pour assurer la transformation des aliments, des ferments sont indispensables. Certains sont élaborés directement par l'aliment lui-même. Or, la cuisson détruit la plus grande partie des ferments et enzymes. Si donc, l'alimentation habituelle est à prépondérance de mets cuits, le foie devra accentuer son effort pour produire une partie des ferments ainsi déficitaires et le poursuivre en neutralisant les substances qui n'auront pu être digérées.

La fonction enzymatique du foie constitue une lourde servitude avec l'alimentation trop souvent cuite.

Il faut se garder surtout de la cuisson en marmites autoclaves (cocottes-express) qui entraîne une grande élévation de température, rendant inutilisables divers acides aminés, dont certains sont indispensables aux fonctions hépatiques, alors que prennent naissance de nouvelles liaisons résistantes aux enzymes. Il en résulte donc toujours un surmenage du foie, d'abord en raison de l'effort demandé pour l'utilisation des aliments transformés, du fait, ensuite, des carences qui résultent de leur usage constant.

L'ASSOCIATION CAFÉ ET LAIT. — Pris isolément, le café et le lait ne sont déjà pas très favorables au foie, mais leur mélange constitue une substance nettement néfaste qui est à rejeter radicalement.

L'ébullition et l'adjonction de café constituent des obstacles de taille à la fermentation lactique, naturelle, du lait, indispensable à la digestion normale. Le café au lait, imparfaitement digéré, arrive dans les intestins où il déclenche et entretient de véritables putréfactions que la bile ne parvient pas toujours à neutraliser.

Cette corruption des intestins gagne évidemment le foie ; la bile en subit les conséquences et devra bientôt déclarer forfait devant cette fermentation putride qui monte et envahit tous les organes voisins, affaiblissant le terrain.

LE SUCRE INDUSTRIEL. — On invoque souvent les besoins de l'organisme en hydrates de carbone pour justifier la fabrication du sucre. C'est déplacer un problème qui est facilement résolu par les amateurs de fruits, trouvant dans ces derniers tout le sucre *naturel* exigé par l'organisme.

Le sucre extrait de la betterave est, comme la plupart des éléments isolés, un produit déséquilibré, impropre à entretenir la vie. On ne connaît personne qui ait pu subsister en ne prenant que du sucre industriel, alors que les fruits peuvent suffire à assurer les besoins vitaux.

Ne contenant ni éléments protecteurs, ni aucun des ferments nécessaires à son utilisation par l'organisme, c'est donc le foie qui doit combler cette carence en fournissant les substances absentes (enzymes et même certains sels minéraux).

Par contre, le sucre produit un acide oxalique résiduaire par suite de certaines modifications dans les intestins. Oxydé dans les muscles, l'acide oxalique doit être neutralisé par le foie qui est donc mis à contribution. Ce qui n'a pu être arrêté à son niveau passe dans la circulation, envahit les tissus et est ensuite éliminé par les reins. Notons que les cristaux d'acide oxalique se retrouvent, comme ceux d'acide urique, dans les rhumatismes, les migraines, les troubles nerveux, la fatigue excessive. Dans les reins, lors de leur élimination, ils provoquent des douleurs et peuvent être à l'origine de la présence de sang dans les urines.

LE PAIN BLANC. — Il est toujours dangereux d'isoler les principes associés dans les produits de la nature. Certains éléments, considérés — souvent à tort — comme n'ayant aucune valeur nutritive, n'en sont pas moins indispensables, en raison du rôle parfois décisif qu'ils jouent dans la digestion et l'utilisation des substances nutritives.

Il est téméraire de juger les composants d'un aliment naturel d'après les facteurs connus, alors que tant d'autres ne nous ont pas encore été révélés. Même s'il était prouvé de façon irréfutable qu'ils ne présentent aucun élément reconnu comme nutritif, ils peuvent receler certains principes vitalisants que les moyens actuels d'investigation ne permettent pas d'identifier.

Composé, en majeure partie, d'amidon et saturé de levure, parfois chimique, le pain blanc n'a plus guère de valeur nutritive, est complètement dévitalisé et contribue, pour une large part, à la formation de nombreux gaz.

En éliminant le son, on rejette 80 % du phosphore et du calcium, ainsi que de nombreux ferments dont la présence est nécessaire à la transformation des éléments nutritifs et à certaines opérations de synthèse. De plus, le son est la partie la plus vitalisée du blé, puisque la mieux exposée aux radiations solaires. Mais ce qui a sans doute les plus grandes et fâcheuses conséquences pour la santé est l'extraction du germe, utilisé d'ailleurs isolément ; or, c'est dans le scutellum, enveloppe du germe (entre l'embryon et l'amande), que se tient toute la vitamine B du grain de blé, qui en est ainsi privé avec le blutage.

Ces carences en ferments et vitamines, auxquelles il faut ajouter celles de certains sels minéraux, obligent le foie à un effort redoublé pour assurer quand même les phénomènes vitaux essentiels. Cette tâche démesurée ne pourra être assumée ainsi sans discontinuer. Des coupures surviendront, iront en s'élargissant, et les carences prendront une forme grave ; des accidents seront à craindre. Mieux vaut ne pas en arriver là et adopter tout de suite le vrai pain dont il sera question plus loin.

LA PATISSERIE. — Aux inconvénients du pain blanc et du sucre industriel, il faut ajouter ceux de tous les produits dénaturés, utilisés couramment en pâtisserie. La poudre d'œuf, les colorants et parfums chimiques, l'alcool, les levures chimiques utilisées en quantités massives, etc., viennent ajouter à la nocivité de la pâtisserie commerciale. Ne parlons que pour mémoire des crèmes et autres assaisonnements dont l'effet fâcheux sur le foie est bien connu.

LA CONFISERIE. — Aux dangers du sucre industriel, viennent s'ajouter ceux des colorants et parfums chimiques que le foie devra neutraliser au passage. Il en résulte, évidemment, une meurtrissure de la cellule hépatique, alors que l'organe est déjà surmené par les tentatives d'utilisation de substances incomplètes, trop éloignées de l'état naturel.

LE SURMENAGE ALIMENTAIRE. — Le foie étant chargé de transformer, de répartir et d'emmagasiner les éléments nutritifs, il s'ensuit qu'un excès alimentaire conduit inévitablement à son surmenage.

Surmenage dû aux excédents à transformer, encombrement résultant des surplus à stocker, puis fatigue à la suite des efforts pour l'expulsion du trop-plein.

Pour neutraliser les excédents azotés, le foie les transforme en acides, lesquels acides excédentaires peuvent modifier l'équilibre acido-basique, si les reins ne les éliminent pas assez rapidement. Il faudra alors que le foie intervienne à nouveau pour s'efforcer à rétablir cet équilibre compromis. A ce jeu, il s'épuise, et il ne faut pas s'étonner si l'on constate des assoupissements, même chez les enfants qui pourront également manifester un état de nervosité allant jusqu'à la crise de nerfs. Tout ceci parce que l'effort demandé au foie est disproportionné.

LE TABAC. — On sait qu'une des fonctions du foie, et non des moindres, consiste à filtrer le sang et à le débarrasser des substances toxiques qu'il peut receler. Or, il faut bien admettre que passent dans le sang, puis aboutissent au foie, tous les poisons du tabac : nicotine, acides nicotianique et tabacotannique, nicotianine, sels de potasse, etc.

Le terrible pouvoir sclérosant de la nicotine et de ses dérivés est bien connu ; tous les vaisseaux sanguins, y compris ceux du foie, en subissent les redoutables effets qui se traduisent par le durcissement, la perte de la souplesse, la fragilité excessive, la diminution du diamètre intérieur.

Le foie est alors sollicité pour produire des éléments de défense, mais comme il est lui-même touché par les toxiques tabagiques, ses réactions vont s'atténuant jusqu'à la cessation totale.

LES VACCINS. — Quand une substance étrangère est introduite directement dans le sang, elle est acheminée vers le foie dont une des fonctions normales est de neutraliser les envahisseurs. Des anticorps et autres substances protectrices sont émis par le système hépatique, ce qui ne va pas sans entraîner de sérieuses perturbations. Les vaccins ont un terrible pouvoir sclérosant des tissus, notamment de ceux du foie.

Le foie doit être à même d'élaborer des substances protectrices adaptées à tous les cas ; or, le vaccin l'entraîne dans une spécialisation des fonctions de défense, ce qui ouvre la porte aux envahisseurs inattendus.

Toute substance étrangère au corps est un poison, et tout poison souille la bile qui devrait rester pure pour être en mesure de répondre aux besoins de la digestion.

LE SURMENAGE. — Qu'il soit d'ordre corporel ou intellectuel, le surmenage aboutit à la production de toxines très dangereuses pour l'organisme et que le foie doit s'évertuer à neutraliser. S'il s'agit d'une situation passagère, les troubles ne seront pas très prononcés, mais la poursuite continue d'activités au-delà des possibilités réelles pourront avoir les plus graves conséquences. Les toxines musculaires ou nerveuses imprègnent les tissus, si elles ne sont pas rapidement neutralisées et éliminées. Leur accumulation peut aboutir à un désastre tel que la paralysie par sclérose de tissus nerveux nobles ou durcissement de la moelle épinière. C'est ce qui est à craindre lorsque le foie, surmené, ne peut plus faire face à une situation qui dépasse ses possibilités.

LE SÉDENTARISME.— Le défaut d'exercice est préjudiciable à tout l'organisme et met en péril son équilibre. Le foie ne peut être tenu à l'écart de cette nécessité.

Ce qui n'est pas éliminé au niveau du poumon revient au foie, et il incombe à cet organe de pallier toutes les déficiences.

Le manque d'exercice entretient aussi la constipation, et c'est encore là un surcroît de travail pour le foie, vers lequel reviendront les déchets non évacués.

Avec l'exercice, couramment pratiqué, les éliminations sont ainsi facilitées et accélérées, et la masse des résidus à neutraliser aussi réduite que possible.

RÉCAPITULATION
DES ÉLÉMENTS NOCIFS

Toute viande, quelle soit de boucherie, de charcuterie ou de triperie ; également la volaille, le lapin, le poisson, les crustacés, etc.

Toute graisse animale (saindoux, margarine, etc.) ; le beurre cuit, surtout le « beurre noir » ; les huiles non garanties « de première pression à froid, sans solvants chimiques ».

Les bouillons de viande et tout potage concentré, préparé à partir de viande ou de produits chimiques.

Toutes les conserves et aliments cuits dans les marmites autoclaves (cocottes-express, etc.).

Le pain blanc et toutes les préparations à base de farine blanche (pâtes, biscottes, etc.) ; la pâtisserie faite avec de la farine blanche, du sucre blanc, de la margarine ou du beurre cuit, des levures chimiques, parfois des colorants ou parfums chimiques, de l'alcool, etc. ; le riz glacé ou poli.

Le sucre industriel, les bonbons et sucreries, les confiseries ; le sel raffiné, le poivre.

Le lait liquide, bouilli, pur ou mélangé au café, au thé, au chocolat.

Les légumes déshydratés et tous les fruits mûris ou séchés artificiellement ; les légumes secs de plus d'un an. Les produits surgelés et congelés

Toutes les boissons alcoolisées ou excitantes (liqueurs, apéritifs, vin, cidre, bière, etc.) ; le vinaigre ; le café ; le kéfir ; le maté ; le chocolat.

Les produits chimiques, les vaccins, le tabac et autres stupéfiants.

Le surmenage, sous toutes ses formes, le défaut d'exercice, l'insuffisance respiratoire.

CE QUI EST FAVORABLE AU FOIE

LES ALIMENTS

En abordant ce chapitre, il faut bien préciser qu'un aliment peut être favorable à la fonction hépatique, en particulier, et à la santé, en général, tout en provoquant parfois certaines réactions désagréables.

C'est ainsi que des troubles apparents, survenant consécutivement à la consommation d'épinards, de pois, de haricots verts, d'oignons, d'artichauts, etc., n'indiquent pas que ces végétaux sont hostiles au foie, mais que cet organe n'est pas en état de recevoir certains de leurs éléments constitutifs.

Pourtant, il est des aliments qui peuvent ne jamais être tolérés, le déséquilibre étant installé à demeure et ayant modifié certains mécanismes. Si une cuillerée de miel ou une bouchée de fromage provoquent des nausées, il est inutile d'insister, sous peine de voir survenir des réactions très violentes.

Souvent on arrive à s'accoutumer progressivement de certains végétaux, d'abord non tolérés. Lorsque, par exemple, l'huile d'olive provoque des nausées, il n'y a pas lieu d'insister, mais de l'introduire progressivement dans les assaisonnements, en mélange avec l'huile jusque-là tolérée. Petit à petit on augmentera la quantité d'huile d'olive ; ceci, jusqu'à ce que l'on arrive à bien accepter l'huile d'olive seule.

Quelqu'un qui n'apprécie pas les olives noires — et il en est souvent ainsi avec tout aliment non encore habituel — en prendra de petites parcelles, avec du beurre. Ou encore, en incorporera dans les plats cuisinés.

Il en sera de même pour les épinards, les noix, les oignons, etc., que l'on introduira très doucement dans l'alimentation. Il faut d'ailleurs remarquer que les épinards, pris crus, en salade, provoqueront moins de réactions, du fait que la quantité à prendre normalement est bien plus réduite qu'avec ce même légume cuit. On observera aussi que des choux crus passeront très bien, alors que les mêmes choux, cuits à l'eau, étaient jusqu'alors indigestes.

Avant donc de rejeter un aliment naturel, il y a lieu de procéder à quelques essais sous une autre forme. Si ces essais sont vraiment infructueux, attendre que le traitement entrepris ait abouti à un premier résultat, avant de les reprendre.

L'HUILE. — Le corps gras le plus favorable au foie est, sans conteste, l'huile d'olive, mais obtenue par simple pression, à froid et sans solvants chimiques. En général, toutes les huiles végétales sont acceptables si elles réunissent les conditions précitées.

En effet, la plupart des huiles présentées au consommateur et ne portant pas la formule « garantie première pression à froid » sont, le plus généralement, obtenues avec recours à la chaleur et aux solvants chimiques (éther de pétrole, sulfure de carbone, trichloréthylène, etc.). Ces huiles sont raffinées, ce qui ne les améliore pas, étant donné que le raffinage conduit à la perte de toutes les vitamines A et E et des substances dites « antioxygènes » qui s'opposent au rancissement. C'est ainsi que l'huile vraiment naturelle ne rancit pas, les corps antioxygènes étant intégralement préservés.

Le grand défaut des corps gras est d'acidifier dangereusement l'organisme. Ce danger est très atténué dans les huiles de première pression à froid, alors qu'il est accentué avec les huiles et corps gras industriels obtenus à partir de graines oléagineuses décortiquées à l'avance.

N'étant pas chauffée, l'huile d'olive, obtenue à froid, a conservé tous ses ferments et est très digestible.

Non seulement, c'est un aliment non négligeable, mais c'est aussi un remarquable remède pour le foie, notamment en cas de calculs dans la vésicule biliaire, ou simplement d'encombrement de cet organe, qu'elle stimule. Emulsionnée avec du citron, on la prendra avantageusement le matin à jeun, à la dose d'une cuillerée à café, à dessert ou à soupe, selon l'âge ou la tolérance, en mélange avec quantité égale de jus de citron.

Certains médecins ont obtenu l'évacuation de calculs importants avec l'ingestion de grandes quantités d'huile d'olive, de l'ordre d'un demi-litre, et même plus, en une seule fois. Il faut, évidemment, la présence d'un médecin pour parer à tout incident possible ; aussi, préférons-nous l'usage, à la fois modéré et prolongé, du mélange huile-citron, qui ne donne lieu à aucune manifestation violente ou inquiétante. Le traitement est plus long, tout en conservant son efficacité.

Il est possible, dans certains cas, d'augmenter progressivement les doses, en restant dans les limites de la tolérance et en maintenant l'égalité des parties dans le mélange.

Après trois semaines de prises journalières, il est bon de marquer un temps d'arrêt d'une semaine. Reprendre ensuite, une semaine sur deux, pour une durée totale de cure de trois mois.

PAIN COMPLET. — En ce qui concerne le pain, comme d'ailleurs tous les autres aliments, les détails ont parfois une importance extrême. Le terme *pain complet* est insuffisamment précis, souvent, et il faut bien préciser que ce pain doit être fait à partir de farine complète, c'est-à-dire obtenue par la mouture du blé, sans retrait ni adjonction, et que ce blé doit avoir été cultivé biologiquement. Parfois, un léger blutage peut être toléré, à la période d'adaptation à l'alimentation naturelle ; il sera de l'ordre de 90 à 85 %, au maximum.

Les pains complets obtenus avec une farine résultant d'un mélange de farine blanche, son, germe de blé et parfois des « améliorants » chimiques, ne présentent aucun intérêt, et leur seule différence, avec le pain blanc ordinaire, est de coûter généralement plus cher.

Le pain « au son », proposé pour concilier les avantages de cette présence et les commodités industrielles et commerciales, est un non-sens. Pourquoi, en effet, ne pas laisser subsister la plus grande partie de l'enveloppe du grain, plutôt que de bluter, puis d'ajouter du son en provenance d'un autre grain, tandis que le germe, si précieux, est toujours retiré en vue d'un autre usage.

Certains détails — parfois essentiels — ayant ainsi été précisés, il reste à traiter du problème essentiel : la panification proprement dite, ou préparation du pain, avant cuisson.

La fermentation au levain, telle qu'on l'obtenait autrefois, ne peut être remplacée par aucune autre méthode car, écrit le Dr Roger Lefebvre, chef de laboratoire à la Faculté de Médecine de Paris, *ce procédé, qualifié d'antique, faisant appel à plusieurs ferments, fournissait certainement autre chose que les « trous du pain », dont la production est le seul rôle dévolu à l'actuelle levure. Il fournissait, en particulier, les corps aromatiques qui donnaient à l'ancien pain une saveur que le nôtre n'a plus. De plus, rien ne prouve que les substrats auxquels s'attaquaient les différents ferments du levain étaient tous des hydrates de carbone. Il n'est pas impossible, en particulier, qu'il ait renfermé des bactéries protéolytiques capables, à partir de substrats azotés, de libérer ces précieux acides aminés dont certains se révèlent indispensables à l'entretien de la vie.* Il faut aussi tenir compte que d'autres acides aminés sont des substances lipotropes, c'est-à-dire protectrices de la cellule hépatique contre les éléments toxiques.

On a reproché au pain complet de mettre entrave à la bonne assimilaton de certaines substances utiles, telles que calcium, fer, magnésium, vitamine D, du fait de la présence d'acide phytique dans le son. Or, il est maintenant prouvé que cet acide est neutralisé au cours de la fermentation au levain, grâce à la présence d'un ferment, la phytase, qui hydrolyse l'acide phytique lorsqu'il est placé dans des conditions favorables. Seule, la fermentation au levain permet la réalisation de ces conditions, encore que le danger ne soit pas tel que l'ont évoqué les défenseurs du pain blanc.

Rappelons encore que le blutage élimine le germe et son enveloppe, le scutellum qui se trouve entre l'embryon et l'amande ; lequel scutellum renferme la totalité de la vitamine B, présidant aux assimilations et à l'équilibre nerveux.

LES FRUITS sont, en général, favorables au bon accomplissement de la fonction hépatique ; si certains provoquent diverses réactions (par exemple la fraise, avec l'urticaire), c'est souvent une manifestation curative, et le désordre n'est qu'en apparence.

Toutefois, certains fruits doivent avoir la priorité, et c'est ainsi que la première place sera donnée au CITRON qui stimule, décongestionne et draine le foie. Pris, par exemple, dans une tasse d'eau chaude, additionnée ou non de miel, le jus d'un ou d'un demi-citron, est le meilleur auxiliaire de la digestion, en raison de la sécrétion biliaire ainsi provoquée. Certains hépatiques, ne supportant pas les tisanes, recourent uniquement au citron et s'en trouvent très bien. Dans la journée, on en prendra le jus dans un peu d'eau fraîche. La quantité de citrons à utiliser journellement est en fonction de la tolérance, aucune limite n'étant à imposer. Naturellement, le citron remplacera le vinaigre dans tous les assaisonnements. La peau de citron, râpée et ajoutée aux crudités, est un bon remède de l'insuffisance hépatique.

L'ORANGE, lorsqu'elle est mûrie naturellement, active bien toutes les fonctions, de même que le RAISIN, qui contribue à l'élimination des boues et calculs biliaires, tout en stimulant les évacuations. Les propriétés de l'OLIVE ont été signalées au chapitre consacré à *l'huile d'olive*. Seule l'OLIVE NOIRE présente un intérêt, pouvant être consommée sans traitement préalable. La conservation limitée, dans la saumure, ne semble pas altérer ses propriétés. Toutefois, il y a lieu de la dessaler par un rapide passage à l'eau chaude, puis de la mettre dans un récipient, avec de l'huile d'olive.

Les GROSEILLES sont intéressantes, mais surtout la GROSEILLE A MAQUEREAU, qui influe favorablement sur les évacuations. La FRAISE est un bon draineur et la CHATAIGNE convient particulièrement aux cholémiques (dont la bile passe dans le sang et teinte les téguments). Le jus de la FRAMBOISE est recommandé en cas de fièvre bilieuse ou d'embarras gastro-intestinal. La MYRTILLE est un désinfectant sans égal pour le canal intestinal. Bien qu'astringente, elle ne constipe pas et régularise la fréquence et la consistance des selles.

Tous les autres fruits sont excellents, sauf, peut-être, la banane fraîche qui, amenée à maturité et conservée artificiellement, ne présente que peu de ressemblance avec le fruit mûri naturellement. La TOMATE, à mi-chemin entre le fruit et le légume, seconde le foie dans ses fonctions de neutralisation des poisons et d'acheminement des déchets.

Comme les fruits, les LÉGUMES devront être utilisés, crus le plus souvent possible, afin de préserver les éléments vivants, substances de protection et d'énergie. L'ARTICHAUT est tout particulièrement recommandé ; c'est un tonique de la muqueuse hépatique, il renforce la fonction antitoxique du foie. L'ASPERGE, qui contient du nitre, contribue à sa désinflammation, alors qu'elle participe à son drainage, grâce au manganèse. La BETTERAVE est un tonique et la CAROTTE, un rénovateur du sang, qui fluidifie la bile et augmente la sécrétion biliaire ; son carotène permet au foie d'élaborer la vitamine A, de rajeunissement. La CHICORÉE stimule la sécrétion biliaire. En branches ou rave, le CÉLERI est un draineur du foie ; le CÉLERI EN BRANCHES est un remède de la jaunisse.

Riche en sels minéraux, le POIREAU régénère la cellule hépatique, et l'on a pu comparer la cure de poireau à une cure à Vichy. Grâce à ses propriétés antiseptiques, il collabore avec la bile pour entretenir la salubrité intestinale. La cure de PISSENLIT est sans égale pour contribuer au rétablissement des fonctions hépatiques, en augmentant la sécrétion biliaire. Il participe à l'élimination du cholestérol, ainsi que de toutes les impuretés du sang. Remède très actif contre les calculs biliaires, le PISSENLIT, grâce à son manganèse, est un stimulant de toutes les fonctions hépatiques. Désintoxicant du foie, le RADIS convient particulièrement dans la jaunisse et lorsque la bile, passant dans le sang, colore peau et muqueuses. Comme le poireau, l'OIGNON est très riche en sels minéraux et augmente la sécrétion glandulaire. Il contient beaucoup d'éléments de protection et contribue à la cure du diabète, grâce à sa glucokinine. Pour mener à bien certaines opérations de synthèse, le foie doit trouver un apport suffisant en soufre, dans les aliments courants ; ce corps minéral est contenu dans certains aliments : AIL et CHOU, surtout, et oignon, déjà cité.

Tous les autres légumes et salades peuvent être utilisés avec bonheur, sous réserve qu'ils ne provoquent pas de réactions trop vives ; dans lequel cas, on les introduira très progressivement dans les menus.

LES SOUS-PRODUITS ANIMAUX

Le LAIT, pris à l'état liquide, n'est pas favorable au foie, surtout à celui de l'adulte, dont l'estomac ne sécrète plus le lab-ferment nécessaire pour assurer la coagulation rapide — donc, la prédigestion — du lait. Si l'on tient à boire du lait, il faut qu'il soit assez sain pour pouvoir être pris cru ; tout de suite après son ingestion, prendre du jus de citron qui activera le processus du caillage.

Une fois caillé, le lait est très digestible et sain, la fermentation lactique assurant la destruction des germes nocifs et la culture d'éléments protecteurs.

Le LAIT CAILLÉ sera pris avec le petit-lait, en cas de constipation, mais pour un usage continu il est préférable de le faire égoutter et de prendre ce caillé sec, devenu ainsi moins acidifiant.

Le YAOURT ou yoghourt est également acceptable s'il est produit correctement.

Tous les FROMAGES peuvent être pris, en quantité modérée et seulement une fois par jour, s'ils sont normalement fermentés. Il faut se méfier des fromages industriels, imposés par la publicité.

Le BEURRE CRU, en tartine ou mis dans l'assiette, n'est pas déconseillé s'il est naturel, ne provenant pas de réserves ou entrepôts frigorifiques. Le meilleur est celui en provenance d'élevages biologiques, où l'on n'emploie ni antibiotiques, ni pesticides.

Les ŒUFS sont très nutritifs ; leurs protéines sont les seules dans lesquelles se trouvent tous les acides aminés, jusqu'ici identifiés. Seulement, pour être acceptables, les œufs ne doivent pas provenir des forceries où les poules sont soumises à un éclairage artificiel continu et nourries avec des pâtées de farine de poissons et déchets d'équarrissage, voire de médicaments (antibiotiques, notamment). Les œufs sains sont ceux qui proviennent de poules disposant d'un espace naturel suffisant, pouvant gratter la terre, et nourries avec grain et verdure.

En raison de la richesse de l'œuf en substances nutritives, il faut en modérer la consommation et ne pas dépasser la dose de trois à quatre œufs par semaine, pris isolés ou incorporés.

Le MIEL stimule très heureusement le foie. Il corrige très bien les troubles hépatiques (notamment le prurit des ictériques) et contribue à une véritable rééducation du foie.

On recherchera, de préférence, le *miel de romarin* qui favorise bien toutes les fonctions hépatiques et est particulièrement indiqué dans les ascites avec gros foie, la cirrhose, l'ictère et les engorgements.

DES DÉTAILS IMPORTANTS

LA PRÉSENTATION DES ALIMENTS. — On ne donnera jamais assez d'importance à la présentation des aliments transformés ; les aliments présentés dans leur état naturel se suffisent à eux-mêmes. Rien n'est plus attrayant qu'un fruit fraîchement cueilli.

Si la nature a ainsi donné les plus agréables aspects, selon le sens esthétique de l'homme, aux aliments qui lui conviennent, ce n'est pas sans raison. Les savants ont tenté de définir quelles sont les substances nécessaires pour entretenir la vie, fournir les matériaux de construction ou de réfection, ainsi que l'énergie indispensable pour les déplacements et la poursuite des activités. Ils ont nommé ces substances essentielles, des *nutriments*. Or, jamais personne ne pourrait se nourrir de ces éléments dissociés ; d'abord parce que leur association avec d'autres éléments doit rester telle que la nature l'a prévue pour en assurer la synthèse et l'utilisation ; ensuite, parce que l'on n'éprouverait aucun attrait pour ces *nutriments* qui n'inciteraient nullement nos glandes à sécréter les sucs digestifs.

Depuis longtemps déjà, l'observation a démontré que les phénomènes de la digestion commencent dès que le regard se porte sur l'aliment. La commande du mécanisme se poursuit avec le contact des aliments et des papilles gustatives de la langue et du palais. L'aspect de l'aliment, puis ses arômes, jouent un rôle aussi important que tous les éléments constructifs, protecteurs ou énergétiques.

Ce facteur *organoleptique*, animateur des fonctions psycho-sensorielles, faisant appel aux effets stimulants de la couleur, de la forme, de la saveur, de l'arôme, des associations de couleurs, d'arômes, etc., exerce la plus favorable influence sur les sécrétions gastriques, hépatiques ou pancréatiques, et la motilité du tube digestif.

LES AROMATES. — Étant donné ce qui précède, il est évident que l'on doit faire une large place aux aromates qui contribuent, par leurs agréments visuels et gustatifs, à la mise en route des fonctions psycho-sensorielles participant activement à tous les phénomènes de la nutrition : digestion proprement dite, transformations, opérations de synthèse, répartition, fixation, neutralisation des déchets et éliminations.

Les aromates participent à l'entretien de la salubrité intestinale et à celui d'une flore digestive normale. Ils stimulent les glandes endocrines, salivaires, et certains sont spécialement favorables au bon accomplissement des fonctions hépatiques. Le romarin vient en tête, suivi de près par le thym, le cerfeuil, le céleri, l'estragon, l'oignon. Le persil, l'ail, l'échalote, le laurier ne sont pas à négliger, non plus que la ciboule, la ciboulette, le fenouil, le cumin, les câpres (pas dans le vinaigre), la noix muscade, la girofle, le raifort, le serpolet, le safran, qui jouent leur rôle, par l'intermédiaire des nerfs olfactifs et de ceux des papilles du goût.

LA VARIÉTÉ. — Le meilleur et le plus sûr remède aux éventuelles carences est la variété alimentaire, permettant d'apporter à l'organisme les plus subtils éléments (vitamines, oligo-éléments, etc.) qui lui sont nécessaires.

La monotonie alimentaire est doublement dangereuse, d'abord parce qu'elle risque de nous priver de substances essentielles, ensuite parce qu'elle spécialise l'organisme, en général, et la flore digestive, en particulier. Cette dernière est très rare chez le nourrisson qui doit être amené très progressivement à la variété des aliments. Ceux qui ont habituellement un menu monotone doivent procéder de même, afin que puisse se constituer ou se reconstituer une flore comprenant des espèces dont le rôle sera de terminer la digestion des nouveaux éléments introduits dans l'alimentation.

Le défaut de cette flore est préjudiciable à l'accomplissement de certaines phases de la digestion et l'on a cité des cas de morts par inanition de sujets incapables d'utiliser des aliments inhabituels. C'est ainsi qu'en Afrique centrale, des mangeurs de manioc sont morts de faim à côté de plats de riz, alors qu'en Asie, des cas semblables se sont produits, des mangeurs de riz n'ayant pu se nourrir de froment.

Il est donc capital, à la fois de varier les menus et d'adapter progressivement à cette variété l'organisme habitué à la monotonie. Laquelle variété doit d'ailleurs être établie en fonction de la saison et de la région.

*
* *

RÉSUMÉ DE CE QUI EST UTILE ET BIENFAISANT

Tous les fruits de saison, doux ou acides.

Tous les fruits secs : amandes, noisettes, noix, cacahuètes, figues, dattes, raisins, bananes séchées, pruneaux, abricots, etc. ; les olives noires.

Toutes les céréales : blé complet, orge mondé, riz complet, seigle, avoine, maïs ; le pain complet, les pâtes complètes ; les bouillies, galettes et gâteaux de blé complet ou de sarrasin ; le blé germé ; le sarrasin en grain (kasha) ; le pain de seigle (rassis).

Tous les légumes, crus ou cuits ; les marrons et châtaignes ; les soupes, potages, bouillons de légumes ou aux céréales.

Toutes les salades vertes ; les aromates.

Toutes les huiles végétales, obtenues par simple pression à froid (huile d'olive, de préférence) ; le sel marin, non raffiné.

Le miel, si possible, de romarin.

L'eau citronnée, comme boisson.

CE QUI DOIT ÊTRE CONSOMMÉ
EN QUANTITÉ MODÉRÉE

Les œufs frais, provenant de poules nourries avec grain et verdure.

Le soja, les pois et haricots en grains frais ; les légumes secs de l'année.

La semoule de blé, le couscous, le tapioca.

Les biscottes complètes, les pâtisseries de ménage (biscuits, tartes, clafoutis, sablés, pain d'épices, etc.).

Le beurre frais cru (en tartine ou ajouté dans l'assiette) ; le lait caillé ; le yaourt ; le fromage.

L'endive et autres salades peu colorées.

La mayonnaise.

Le sucre de canne, non raffiné.

La confiture au sucre de canne.

*
* *

UN PLAN D'ALIMENTATION D'UNE JOURNÉE

MATIN. — Soit : fruits frais ou secs ;
ou pain complet et miel ou beurre, avec une infusion de thym ou de romarin ;
ou bouillie de blé moulu ;
ou potage de légumes ;
ou simplement une tisane, un verre d'eau nature ou argileuse, une cuillerée d'huile d'olive, avec du jus de citron.

MIDI. — Fruits de saison (150 à 400 g).
Crudités (soit basconnaise (1), soit un légume cru assaisonné comme la basconnaise).
Légumes cuits (2), avec salade crue.
Fromage ou lait caillé ou fruits secs ou miel ou pâtisserie de maison.

SOIR. — Fruits de saison (150 à 400 g).
Potage aux légumes (facultatif).
Un plat de crudités.
Légumes cuits (facultatif).
Lait caillé ou miel (3).

(1) La *basconnaise* se compose de tous les légumes crus, râpés (carottes, navets, betteraves, radis noirs, salsifis, etc.), coupés en tranches (champignons, oignons, courgettes, tomates, radis, etc.) ou en lanières fines (chou rouge ou vert, épinards, etc.). Assaisonner tout ensemble ou les divers éléments séparés, avec de l'huile (d'olive de préférence), du sel marin, du jus de citron (facultatif), des olives noires, de l'ail pilé, des rondelles d'oignon, du persil ou du cerfeuil haché, quelques feuilles de romarin ou d'estragon, etc. Pour les mélanges, mettre toujours un légume en dominante pour obtenir des saveurs différentes à chaque fois.

(2) De préférence des légumes de saison cuits dans peu d'eau, à la cocotte ou dans une marmite en terre (jamais de cocotte-express). Mettre un peu d'huile au fond de la cocotte ou l'ajouter au moment de servir. A défaut de légumes frais : riz complet, pâtes complètes, pommes de terre, etc. Pour des idées, consulter « La Table et la Santé », ou « Cuisine Simple Végétarienne ».

(3) Ne prendre du fromage ou du lait caillé qu'à un seul repas.

LES PLANTES
SPÉCIALEMENT RECOMMANDÉES

LE ROMARIN. — C'est un des remèdes les plus efficaces des troubles du foie. Son action douce, sa saveur agréable, le font très bien accepter des enfants. Favorisant les fonctions hépatiques, fluidifiant la bile et en augmentant la quantité, le romarin est particulièrement indiqué dans les engorgements du foie, l'insuffisance biliaire, les ictères par obstruction, la cirrhose de Laennec, les petites ascites avec gros foie.

C'est toute la tige, avec la sommité fleurie, qui est utilisée, à la dose d'une cuillerée à café ou à dessert (ou un brin de plante fraîche), selon l'âge ou le goût personnel, dans une tasse d'eau bouillante ; infuser 10 minutes et prendre avant ou après le repas. Ajouter du miel de romarin, si possible. Prise comme digestif, cette infusion est à la fois agréable et active. Ne pas omettre d'ajouter du romarin aux diverses préparations culinaires.

Très agréable, le THYM favorise digestion et assimilation, en stimulant la sécrétion biliaire et en mettant entrave aux fermentations putrides. On le prend, comme le romarin, à la même dose et aux mêmes moments. Thym et romarin aromatisent agréablement la cuisine et peuvent être pris le matin, au petit déjeuner.

Le SOUCI agit, dans l'ictère et l'engorgement du foie, en dépurant le sang et en stimulant la fonction hépatique. On l'utilise à la dose d'une cuillerée à dessert de fleurs, dans une tasse d'eau bouillante ; infuser 10 minutes ; une tasse avant chaque repas. La fleur fraîche peut être ajoutée aux plats de crudités dont elle agrémente la présentation en leur conférant des vertus curatives spécialement appropriées à la rénovation hépatique.

La feuille de l'ARTICHAUT tonifie les cellules hépatiques et stimule les fonctions. Elle constitue un obstacle à l'accumulation, dans le sang, du cholestérol de désassimilation. Elle est spécialement recommandée dans les affections hépatobiliaires et hépato-rénales, dans la jaunisse et l'hydropisie. En faire infuser, pendant 10 minutes, une cuillerée à dessert (ou 2 feuilles fraîches) dans une tasse d'eau bouillante, à prendre avant chaque repas.

C'est la racine de l'ASPERGE qui est utilisée, en cas d'ictère ou autre affection du foie, à la dose de 50 à 60 g dans un litre d'eau ; bouillir doucement une dizaine de minutes ; boire en un jour ou deux.

Les feuilles de BUIS sont d'une efficacité certaine dans bien des affections du foie, surtout lorsque celles-ci sont accompagnées de fièvres intermittentes, notamment en cas de complications dues à un virus. On en met une cuillerée à dessert dans une tasse d'eau ; bouillir 2-3 minutes, infuser 10 ; une tasse avant chaque repas, 2 ou 3 fois par jour.

Pour être peu connues, les vertus cholagogues de la feuille de LILAS n'en sont pas moins réelles. Elles agissent surtout sur le foie engorgé, congestionné. En mettre 3 à 6 feuilles dans une tasse d'eau ; bouillir 2 minutes, infuser 5 ; en prendre une tasse avant chaque repas.

La racine d'EUPATOIRE est employée avec succès dans les obstructions du foie dont elle stimule les fonctions sécrétoires. Dans une tasse d'eau, en mettre une cuillerée à dessert ; faire bouillir quelques minutes ; en prendre une tasse, 10 à 15 minutes avant les deux principaux repas.

On utilise toute la plante (tige et feuilles) de FUME-TERRE, dans la jaunisse et la congestion du foie dont elle assure le drainage, à la dose d'une cuillerée à dessert par tasse d'eau bouillante ; infuser 10 minutes. Prendre avant les repas ou le soir au coucher.

Stimulant le foie et augmentant la sécrétion d'urine, l'ASPÉRULE ODORANTE est spécialement recommandée dans la jaunisse et les affections hépato-rénales. On en prépare une tisane, à prendre trois ou quatre fois par jour, à la dose d'une cuillerée à dessert de plante par tasse d'eau bouillante ; infuser 10 minutes.

Les deux variétés de CENTAURÉE, la grande et la petite, donnent de bons résultats dans l'obstruction du foie. C'est la racine de la Grande Centaurée que l'on utilise, à la dose de 40 g (une poignée) dans un litre d'eau ; bouillir 2 minutes, infuser 10 ; une tasse le matin à jeun et avant les deux principaux repas. Dans la Petite Centaurée, c'est aux sommités fleuries que l'on recourt ; en mettre 30 à 40 g dans un litre d'eau bouillante, laisser infuser 10-15 minutes ; également trois tasses par jour.

Le BOLDO est très actif dans la plupart des affections du foie, notamment : congestion et gonflement ; hépatite chronique ; calculs biliaires ; cirrhose ; cachexie paludéenne. Il augmente la sécrétion biliaire. Mettre deux cuillerées à soupe de feuilles dans un litre d'eau ; bouillir légèrement, infuser 10 minutes ; deux ou trois tasses par jour, avant les repas.

La MENTHE SAUVAGE ou POULIOT est un stimulant des fonctions biliaires. En prendre deux ou trois tasses par jour, entre, avant ou après les repas, à la dose d'une cuillerée à dessert par tasse ; infuser quelques minutes.

Les feuilles d'OLIVIER favorisent les fonctions hépatiques et facilitent l'évacuation des calculs biliaires. En mettre 40 g (une poignée) dans un litre d'eau ; bouillir légèrement et infuser 10 minutes ; utiliser comme boisson de table.

Contribuant à dissoudre et éliminer les calculs biliaires, la BOURSE-A-PASTEUR est tout spécialement recommandée dans les hémorragies des voies biliaires. Dans un litre d'eau, en mettre 40 à 50 g et, après une courte ébullition, laisser infuser 10 minutes. A prendre entre les repas, trois ou quatre tasses par jour.

Le GRATTERON-GAILLET s'emploie en cas de jaunisse ou lorsqu'une affection hépatique s'accompagne d'hydropisie. Deux ou trois fois par jour, on en prendra une tasse, à la dose d'une cuillerée à dessert ; infuser 10 minutes.

Ceux qui ne craignent pas l'amertume se trouveront bien de l'utilisation des feuilles et racines de PISSENLIT, à la dose de 30 à 50 g par litre ; bouillir quelques minutes et prendre trois fois par jour, avant les repas. Ceci, particulièrement en cas d'engorgement ou d'inflammation du foie, d'atonie des voies biliaires, d'insuffisance hépatique.

Assez actif en cas de troubles hépatiques, le MARRUBE BLANC est à préconiser surtout dans les engorgements du foie, la jaunisse et la cholémie (passage de la bile dans le sang). On en met 30 g dans un litre d'eau bouillante (ou une cuillerée à soupe par tasse) ; infuser 15 minutes ; une tasse avant les repas, trois fois par jour.

Dans les obstructions des voies biliaires, avec gros foie et grosse rate (splénomégalie), les fleurs de CAMOMILLE ROMAINE sont à utiliser, en infusion de 10 minutes, à la dose de 3 ou 4 fleurs par tasse d'eau bouillante.

Prendre une tasse avant chaque repas ou assez long-temps après.

Le CHARDON-ROLAND est recommandé dans tous les engorgements des viscères abdominaux, foie compris, surtout lorsqu'ils sont compliqués d'hydropisie. On le prend, comme boisson de table, préparée avec 30 à 40 g de feuilles et raci-nes, dans un litre d'eau ; bouillir 5 minutes.

Comme son nom le précise, l'HÉPATIQUE DES FON-TAINES est favorable au foie. En prendre deux tasses par jour, préparées à la dose d'une cuillerée à café par tasse ; bouillir doucement quelques minutes.

C'est surtout dans les affections chroniques du foie que l'on utilise l'AIGREMOINE, à raison de trois à cinq tasses par jour, entre les repas. Pour une tasse d'eau, mettre une cuillerée à dessert de feuilles hachées ; bouillir 2 minutes, infuser 10.

Les feuilles de SCOLOPENDRE, en infusion légère de 10 g par litre d'eau bouillante, prise comme boisson de table, sont recommandées dans les affections du foie, notamment l'obstruction des voies biliaires.

C'est également en cas d'obstruction du foie qu'est conseillée la SAPONAIRE, dont on fera bouillir, pendant 2 minutes, une cuillerée à dessert de feuilles ou racines ; passer immédiatement. En prendre une tasse avant chaque repas, trois fois par jour.

L'ULMAIRE est plus particulièrement indiquée pour l'insuffisance hépatique des nerveux. Dans une tasse d'eau bouillante, on fait infuser, pendant 10 minutes, une cuillerée à dessert de feuilles coupées. Prendre trois à cinq fois par jour.

Le SÉNEÇON JACOBÉE est aussi un hépatique, recommandé aux sujets nerveux. Deux ou trois fois par jour, en prendre une tasse, à la dose d'une cuillerée à café de feuilles coupées, bouillir légèrement.

Calmant des coliques hépatiques, le VÉLAR se prépare à la dose d'une cuillerée à dessert de sommités fleuries dans une tasse d'eau bouillante ; infuser 10 minutes ; trois à cinq tasses par jour, entre les repas.

La racine de CHIENDENT est utile dans les affections du foie, lors de calculs biliaires, surtout. On en met 30 g dans un litre d'eau ; bouillir quelques minutes ; boire à volonté.

La CHICORÉE SAUVAGE est conseillée aux tempéraments bilieux, aux cholémiques (dont la bile passe dans le sang et colore la peau et les muqueuses). Mettre une cuillerée à soupe de feuilles ou de racines coupées dans une tasse d'eau ; bouillir 5 minutes ; une tasse avant chaque repas.

La racine de PETIT HOUX s'emploie, à la dose de 30 à 40 g par litre d'eau (bouillir quelques minutes ; boire à volonté), en cas de jaunisse, de calculs biliaires et d'engorgement du foie.

Favorisant la sécrétion biliaire, le CAILLE-LAIT est aussi conseillé dans la jaunisse et les états cholémiques. En faire infuser, pendant quelques minutes, une cuillerée à café dans une tasse d'eau bouillante ; en prendre trois tasses par jour, entre les repas.

En décoction légère, d'une cuillerée à dessert par tasse d'eau, prise trois fois par jour, la VÉRONIQUE se prend lorsque le foie est engorgé, que la bile passe dans le sang, ou en cas de jaunisse.

Originaire d'Afrique, le COMBRETUM (ou *kinkéliba*) est un puissant remède hépatique. En cas de fièvre bilieuse, même avec hématurie, on prendra, le matin à jeun, une tasse tous les quarts d'heure, d'une décoction de 10 g de feuilles dans 500 g d'eau. Recommencer dans la journée, en prenant cinq autres tasses (100 g chaque) entre les repas.

L'AUBIER DE TILLEUL SAUVAGE donne parfois de bons résultats, en présence de calculs biliaires. Dans un litre d'eau, en mettre 40 g ; faire bouillir pour réduire aux trois quarts ; boire en un jour ou deux, à n'importe quel moment. Pendant trois mois, faire une cure de dix jours par mois.

*

* *

EN CAS DE CONSTIPATION LIÉE A UNE INSUFFISANCE HÉPATIQUE

L'écorce de BOURDAINE est un des plus simples et des plus actifs stimulants du foie et des intestins. En prendre une tasse le soir au coucher, ou le matin à jeun, à la dose d'une cuillerée à café, à dessert ou à soupe, selon l'âge ou le cas. Mettre dans une tasse d'eau et faire bouillir 10 à 15 minutes à feu doux. Si tendance aux fermentations, ajouter une cuillerée à café d'anis vert.

LA RHUBARBE est également laxative, avec action favorable sur la sécrétion biliaire. Mettre 2 à 5 g de racine dans une tasse d'eau bouillante ; infuser 10 minutes ou plus. En prendre une tasse le matin à jeun et une au coucher.

L'EUPATOIRE, déjà citée, se prépare à la dose d'une cuillerée à dessert ou à soupe, dans une tasse d'eau ; bouillir quelques minutes. En prendre une tasse, 10 à 15 minutes avant les repas, ou une tasse le matin à jeun et une le soir, au coucher.

Le PISSENLIT a également été mentionné. Se reporter page 73.

La racine et l'écorce de BERBÉRIS sont légèrement laxatives et exercent un effet stimulant sur le foie ; bouillir, puis infuser 10 minutes. Utiliser comme boisson.

Le POLYPODE est le laxatif des enfants et adultes dont le foie est insuffisant. On en met 40 g dans un litre d'eau ; bouillir 2 minutes, infuser. Boire en deux jours, à n'importe quel moment.

Le LISERON DES HAIES est un laxatif recommandé dans l'insuffisance hépatique, l'engorgement du foie, les cirrhoses. Mettre deux ou trois pincées de feuilles par tasse d'eau bouillante ; infuser 10 minutes. Diminuer ou augmenter la dose selon le cas. Prendre une tasse avant chaque repas.

LES TISANES COMPOSÉES DE RAYMOND DEXTREIT

Certaines associations de plantes peuvent agir plus efficacement que les mêmes plantes, prises isolément. Encore faut-il que ces mélanges soient établis en tenant compte de certaines règles, apparentes surtout à travers l'expérimentation. On remarquera que, dans les formules indiquées plus loin, figurent des plantes absentes de la nomenclature précédente. Ce sont des plantes ajoutées pour obtenir une action complémentaire sur d'autres organes (reins surtout).

Il est possible de tenter soi-même la réalisation des mélanges, mais il faut commencer par deux ou trois composants, et n'en augmenter le nombre qu'après des essais préalables.

INSUFFISANCE HÉPATIQUE

Sommités fleuries d'*Aspérule Odorante*, 30 g ; somm. fl. de *Romarin*, 30 g ; somm. fl. de *Caille-lait*, 30 g ; *Grémil* ou *Prêle*, 30 g ; racine de *Réglisse*, 30 g ; fleurs de *Souci*, 20 g ; feuilles de *Menthe Pouliot*, 20 g.

Mettre 2 cuillerées à café, à dessert ou à soupe, selon l'âge, dans une tasse d'eau bouillante, en infusion de 20 minutes. Prendre une tasse après les repas. Selon le goût, édulcorer au miel.

ENGORGEMENT OU CONGESTION DU FOIE

Aspérule Odorante, 30 g ; racine de *Réglisse*, 30 g ; feuilles d'*Artichaut*, 20 g ; fleurs de *Souci*, 10 g ; feuilles de *Cassis*, 10 g ; *Prêle*, 10 g ; feuilles de *Busserole*, 10 g ; sommités fleuries de *Romarin*, 10 g ; som. fl. de *Centaurée*, 10 g ; som. fl. de *Caille-lait*, 10 g.

Une bonne cuillerée à soupe du mélange dans une tasse d'eau ; faire bouillir 2 minutes et infuser 10. Prendre une tasse un quart d'heure avant chaque repas.

OBSTRUCTION DES VOIES BILIAIRES
(vésicule, etc.)

Aspérule odorante, 40 g ; *Grémil* ou *Prêle*, 25 g ; racine d'*Asperge*, 20 g ; sommités fleuries de *Caille-lait*, 20 g ; fleurs de *Souci*, 20 g ; *Boldo*, 30 g : som. fl. de *Menthe Pouliot*, 15 g ; feuilles de *Romarin*, 20 g ; racine de *Réglisse*, 30 g.

Une à deux cuillerées à soupe dans une tasse d'eau bouillante ; infuser 20 minutes. Prendre une tasse après chaque repas, deux ou trois fois par jour. Ajouter du miel, selon le goût.

ICTÈRE (jaunisse)
et CHOLÉMIE (passage de la bile dans le sang)

Fleurs d'*Aubépine*, 10 g ; sommités fleuries d'*Hysope*, 15 g : grappes de *Sureau*, 25 g ; racine de *Fragon*, 25 g ; feuilles d'*Artichaut*, 25 g ; racine d'*Asperge*, 25 g ; sommités fleuries de *Caille-lait*, 25 g ; racine de *Berbéris*, 25 g ; racine de *Petit Houx*, 25 g ; racine de *Pissenlit*, 25 g ; *Aspérule odorante*, 15 g ; *Scolopendre*, 15 g ; feuilles d'*Ulmaire*, 15 g.

Une cuillerée à soupe du mélange par tasse. Bouillir 2 minutes et infuser 10. Une tasse avant chaque repas.

Un jour sur deux, ajouter une pincée de *Boldo*, par tasse.

CONSTIPATION
PAR INSUFFISANCE HÉPATIQUE

Grappes de *Sureau*, 30 g ; racine de *Rhubarbe*, 25 g ; rhizome de *Polypode*, 15 g ; feuilles de *Combretum*, 10 g ; graines de *Lin*, 15 g ; écorce de *Bourdaine*, 20 g.

Une cuillerée à soupe du mélange pour une grande tasse d'eau bouillante. Porter à ébullition et infuser 10 minutes. Une tasse le soir, au coucher, ou le matin, à jeun.

CONSTIPATION OPINIATRE

Quand la tisane précédente ne suffit pas, il est alors nécessaire de recourir, tout au moins temporairement, au mélange suivant :

Fleurs de *Mauve*, 20 g ; feuilles de *Cassis*, 20 g ; racine d'*Ortie* piquante, 20 g ; fleurs de *Tilleul*, 20 g ; tige de *Douce-amère*, 20 g ; rhizome de *Rhubarbe*, 10 g ; feuilles de *Chicorée sauvage*, 20 g ; écorce de *Bourdaine*, 20 g.

Bien mélanger le tout et mettre une bonne cuillerée à soupe du mélange dans une grande tasse d'eau. Faire bouillir 2 minutes. Ajouter alors une cuillerée à café de *folioles de Séné* ou *5 à 10 follicules*. Laisser infuser 10 minutes. Prendre une tasse le soir, au coucher.

*

* *

L'ARGILE PAR VOIE BUCCALE

Absorbant les impuretés, revitalisant l'organisme, stimulant les fonctions glandulaires, l'argile est tout à fait favorable au foie et doit être introduite dans tout traitement naturel. Il se peut qu'elle ne soit pas bien acceptée d'emblée par un foie déficient, aux cellules altérées par des aliments ou des médicaments hors nature. On se contentera, alors, de ne prendre, au début que l'eau dans laquelle aura séjourné l'argile.

Il se peut aussi que l'argile soit à l'origine d'une recrudescence de la constipation, alors que, par ailleurs, elle en constitue le remède actif. Ne prendre également que l'eau, et compléter par une tisane laxative, soit tous les soirs, soit de temps à autre, selon la situation.

Le plus généralement, l'argile se prend le matin, à jeun, alors que l'on en a mis une cuillerée à café, la veille au soir, dans un demi-verre d'eau ; le matin, remuer et boire le tout. Dans les deux cas envisagés, de même que lorsque se manifeste une quelconque répulsion, ne boire que l'eau, après avoir laissé déposer l'argile au fond du verre. Toutefois, il faut s'efforcer de bien absorber toute la cuillerée d'argile, quitte à remettre un peu d'eau pour en parfaire la dissolution.

L'argile peut être prise également avant les repas, notamment en cas de maux d'estomac. En prendre alors, deux fois par jour, 10 à 15 minutes avant les principaux repas, toujours à la même dose.

Aux enfants, il est possible de faire prendre une demi-cuillerée ou une cuillerée à café, selon l'âge, dans le courant de la journée, en plusieurs fois.

Certaines personnes font des pilules d'argile et de miel, que les enfants acceptent parfois plus volontiers que l'argile simplement diluée dans l'eau. D'autres ajoutent aussi du jus de citron ; ce n'est pas incompatible et l'effet ne semble pas modifié.

Prévoir des cures de trois semaines par mois, durant deux ou trois mois ; ensuite, en prendre une semaine sur deux.

Chaque fois que cela est possible, *exposer l'argile à l'air et au soleil.*

PHYSIOTHÉRAPIE HÉPATIQUE

En même temps qu'interviendront réforme de l'alimentation et utilisation des plantes, il sera souvent nécessaire de recourir à des remèdes externes, adaptés aux situations particulières.

Dans la plupart des troubles hépatiques directs (douleurs dans la région du foie ou en ceinture, coliques hépatiques, ballonnements, etc.) il est utile de commencer le traitement par l'application, sur toute la ceinture (du foie à la rate), de la préparation qui suit.

CATAPLASME SON-CHOU-OIGNONS

Prendre une certaine quantité de son (3 à 5 poignées) selon l'étendue à recouvrir par le cataplasme.

Hacher 2 ou 3 feuilles de chou (rouge ou vert) et 2 gros oignons. Ajouter de l'eau et mêler le tout dans un récipient allant au feu.

Faire cuire en remuant jusqu'à *élimination totale de l'eau* (5 à 10 minutes). Sur une mousseline, étaler une couche de 2 cm d'épaisseur, bien plus large que la partie malade. Replier la mousseline et appliquer bien chaud, mais non brûlant. Peut être appliqué à n'importe quel moment. Ne sert qu'une fois.

Pour ceux que l'odeur de ce cataplasme incommoderait, il est possible de remplacer le chou et les oignons par deux bonnes poignées de feuilles de lierre grimpant, coupées grossièrement.

Quelquefois, il suffit d'appliquer des FEUILLES DE CHOU sur l'abdomen, ce qui réussit très bien aux enfants. Couper la grosse côte des feuilles de chou, vert ou rouge ;

bien écraser au rouleau à pâtisserie ou avec une bouteille. Appliquer, soit tel, soit après avoir exposé les feuilles au-dessus d'une source de chaleur (fourneau à charbon ou à gaz, etc.). Mettre en place, le soir au coucher ; bander et laisser toute la nuit en place.

Des MASSAGES DU FOIE A L'HUILE D'OLIVE en accélèrent les fonctions. Procéder en tournant, dans le sens des aiguilles d'une montre. Des applications de feuilles de chou, comme il vient d'être dit, complètent bien les massages.

Il faut mettre en garde contre les applications de bouillottes, fers à repasser, etc., sur le foie en période de crise. Ces pratiques n'ont d'autre effet, à part une accalmie provisoire dans les douleurs, que d'entretenir la congestion locale et de favoriser une éventuelle infection. Par contre, le même procédé peut devenir bienfaisant si l'on intercale, entre le corps et l'objet chaud, une ou plusieurs épaisseurs de feuilles de chou.

En cas d'urgence, si l'on ne dispose pas de chou, dans une situation imprévue, on peut appliquer des COMPRESSES HUMIDES TRÈS CHAUDES (fomentations).

Renouveler sans arrêt ces applications pendant 10 à 20 minutes, toutes les deux heures.

Après un certain laps de temps d'application du cataplasme son-chou-oignons ou des feuilles de chou, pouvant varier d'une semaine à un mois, on commencera des applications d'argile pour obtenir une action « en profondeur ». Il n'est pas recommandé d'entreprendre trop tôt ces applications, en raison de l'efficacité de l'argile qui pourrait, par exemple, contribuer à l'engagement, dans le canal cholédoque, de calculs biliaires qu'il est préférable de dissoudre en partie avec des tisanes, des absorptions d'huile d'olive et le cataplasme son-chou-oignons. Toutefois, c'est l'argile seule qui pourra parfaire le travail ainsi commencé.

PRÉPARATION DU CATAPLASME D'ARGILE

L'argile préalablement séchée (au soleil ou dans un endroit chaud et aéré), puis concassée, sera mise telle quelle dans un récipient (de terre cuite, de bois, en émail, en verre, mais jamais en métal nu, sauf inoxydable) ; la couvrir d'eau froide non bouillie et laisser reposer quelques heures.

Au contact de l'eau, l'argile se désagrège et forme une bouillie qui doit avoir la consistance d'un mortier assez compact. Si ce mortier est trop clair, ajouter un peu d'argile en poudre pour l'épaissir.

Sur une serviette en toile ou du torchon cellulosique, étaler une couche uniforme de 1 à 2 cm d'argile, au moyen d'une spatule en bois.

Appliquer l'argile en contact direct avec la peau et laisser en place de une à trois heures, selon le cas.

Après chaque application, laver l'emplacement avec de l'eau fraîche ou tiède, non bouillie.

L'argile ne sert qu'une fois, la jeter après usage.

Dans la plupart des cas, l'argile s'applique froide, mais sur le foie il est souvent préférable de la tiédir, surtout au début des applications. Placer le cataplasme sur le couvercle retourné d'une casserole contenant de l'eau chaude, sur un radiateur de chauffage central, etc., ou, mieux, faire chauffer d'avance l'argile, au bain-marie. Poser alors le récipient d'argile en pâte dans une bassine contenant de l'eau et mettre le tout à chauffer.

Le cataplasme est laissé en place deux heures ou plus. On peut même le garder toute la nuit, tant qu'il ne détermine aucune sensation anormale ou désagréable (accroissement de la douleur, énervement, refroidissement interne ou chaleur excessive, etc.).

Il est parfois nécessaire de commencer par des cataplasmes très minces (1 cm, à peine), laissés en place une heure et demie seulement, afin d'habituer progressivement l'organisme à supporter l'argile, en évitant de provoquer des réactions trop énergétiques.

On peut prévoir des séries d'applications quotidiennes de trois semaines par mois. Dans certains cas (calculs biliaires, notamment), le traitement peut durer plusieurs mois. Il ne faut pas hésiter à l'interrompre provisoirement si l'organisme donne des signes de fatigue, quitte à le reprendre dès le retour des forces. Souvent, c'est le contraire, l'argile contribuant à la reconstitution des réserves vitales. Alors les applications peuvent être poursuivies, sans aucune pause, et même, si les occupations le permettent, intensifiées. Il est possible, en effet, de mettre deux ou trois cataplasmes par 24 heures.

LES RÉVULSIONS

Dans certains états congestifs, il est utile de recourir au *sinapisme*, que l'on prépare en saupoudrant de farine de moutarde un linge fin, préalablement trempé dans l'eau fraîche et essoré. Appliquer la farine à même la peau ; laisser en place 10 à 15 minutes.

Toutefois, la révulsion indirecte est préférable.

Provoquer la dérivation du sang vers les extrémités avec un bain de pieds sinapisé (une poignée de farine de moutarde dans l'eau fraîche ou à peine tiède). Un effet aussi énergique et plus durable est obtenu grâce au bain de pieds pris dans une décoction bien chaude de feuilles de vigne rouge (2 ou 3 poignées pour un bain de pieds, bouillir 10 à 15 minutes ; bains d'égale durée).

LES CURES THERMALES

Les eaux de certaines sources améliorent considérablement l'état du système hépatique lorsque celui-ci est dégradé. Toutefois, il ne faut pas sacrifier à l'illusion de croire aux remèdes-miracles, appliqués quelques semaines, alors que tout le reste de l'année on ne fait rien pour protéger ou ménager sa santé. D'ailleurs, les eaux médicinales n'ont de valeur que prises à la source ; la mise en bouteille leur fait perdre, immédiatement, la presque totalité de leurs principes actifs.

On pourra donc recourir à la cure thermale si les circonstances le permettent, et surtout si les règles du traitement naturel de fond peuvent être observées. Il est inutile, et même dangereux, de s'engager dans une cure thermale, si l'on ne poursuit pas la réforme des habitudes erronées. Il n'est pas de remède spécifique de telle ou telle maladie, mais des éléments réunis d'une remise en ordre générale.

Compte tenu des remarques qui précèdent, on pourra faire appel à cette autre ressource de la nature, qu'est l'eau curative. Voici donc le schéma des utilisations possibles :

Certaines eaux agissent dans un sens plus précis ; c'est ainsi que les *eaux bicarbonatées sodiques* de Vichy, Vals, Saint-Galmier, Pougues, Le Boulou, décongestionnent le foie et la vésicule biliaire, en assurent le drainage et ont une action élective sur la cellule elle-même.

Les *eaux chlorurées magnésiennes* de Châtel-Guyon agissent à la fois sur l'intestin et la vésicule biliaire.

Les *eaux sulfatées magnésiennes* de Brides-les-Bains sont encore plus nettement laxatives et provoquent l'élimination des déchets graisseux.

Ceux qui sont, à la fois, hépatiques et hypertendus, artérioscléreux, ou même simplement âgés, ou assez déprimés, se dirigeront plutôt vers des eaux à action plus modérée : *eaux sulfatées calciques et magnésiennes* de Vittel-Hépar, Contrexéville, Barbazan, Capvern.

Notre préférence irait peut-être vers les *eaux hypominéralisées* d'Evian qui, du fait de cette pauvreté en sels minéraux, entraînent mieux les surplus encombrant l'organisme. Cette eau peut d'ailleurs être utilisée comme boisson, lorsqu'on ne dispose pas d'une eau courante satisfaisante.

*
* *

EXEMPLES DE TRAITEMENT

TRAITEMENT DE FOND, HORS CRISE

Il faut se bien pénétrer que la remise en ordre d'un foie déréglé, surmené, encombré, impose des semaines, parfois des mois — ou même des années — de traitement assidu. Lequel traitement se confond d'ailleurs souvent avec la simple observation des règles de vie saine. Il suffit de placer l'organisme dans les meilleures conditions de fonctionnement et de protection, d'abord en adoptant une alimentation vraiment conforme aux besoins, ensuite par quelques pratiques d'hygiène naturelle décrites plus loin.

La Réforme alimentaire sera progressive ; il n'est pas toujours souhaitable d'abandonner brusquement de mauvaises habitudes, même pour adopter un meilleur comportement. Il faut tout de même éliminer au plus tôt les éléments trop nocifs, tels que l'alcool, la viande, les graisses animales, les conserves.

Parallèlement aux exclusions précitées, il est souhaitable de donner toute leur importance aux aliments-remèdes, issus du règne végétal. On s'efforcera de manger cru, le plus souvent possible. Si les crudités sont mal supportées, il faudra les réduire provisoirement, quitte à en accroître ensuite progressivement le volume. Il est adroit d'en incorporer aux aliments cuits qui seront ainsi revitalisés.

Des intestins irrités peuvent s'accommoder assez mal des crudités ; cette situation ira s'améliorant avec le traitement naturel. En attendant, le processus de guérison sera accéléré, grâce aux jus de fruits et légumes. Le matin à jeun, et avant chaque repas, prendre un verre de jus de carotte, puis, selon la saison, de fraise, framboise, groseille à maquereau ou raisin, ou un demi-verre de jus de chou. Le jus de carotte favorise la sécrétion hépatique, en fluidifiant la bile.

Le pain intégral peut être également mal supporté au départ. Entreprendre alors la réforme alimentaire avec du pain complet à 85 % ou, à la rigueur, des biscottes *complètes*.

Cuire les aliments dans un peu d'eau, ou dans leur jus, selon le cas. Ajouter un peu de beurre — ou mieux, d'huile — au moment de servir. Ne pas omettre les aromates, ainsi qu'il a été dit précédemment.

Terminer les repas avec un peu de fromage ou du lait caillé qui ne sera pas égoutté si les intestins sont resserrés, le lacto-sérum (petit-lait) étant un des remèdes de la constipation des hépatiques. Les fruits auront été pris en début de repas, ce qui est très important.

Si l'on prend une infusion avant le repas, on terminera celui-ci avec une tasse d'eau chaude dans laquelle on ajoutera le jus d'un demi-citron et une cuillerée à café de miel. Lorsque l'infusion est prise après le repas, le citron est pris, dans un peu d'eau fraîche, entre, avant ou pendant les repas.

L'argile sera prise le matin à jeun, en cures de trois semaines par mois, une cuillerée à café chaque jour, dans un demi-verre d'eau. Après deux ou trois mois, on en prendra seulement une semaine sur deux.

Les pratiques de l'hygiène naturelle permettent l'utilisation, à des fins curatives ou préventives, des éléments naturels (air, soleil, eau, terre).

Contribuant à l'alcalinisation des humeurs, donc au renforcement des mécanismes de protection, la *respiration profonde* soulage le foie. De plus, si elle est accomplie avec méthode, elle peut constituer un véritable massage diaphragmatique de l'ensemble hépatique.

Voici comment se pratique cette *gymnastique pneumatique du ventre*. En même temps que l'on enfle la poitrine pour la remplir d'air, en aspirant, il faut creuser le ventre en s'efforçant, par le jeu de la musculature abdominale, à relever l'estomac, tout en le contractant le plus possible, pour le rapprocher de la colonne vertébrale. Après avoir contracté l'abdomen et dilaté la poitrine, au maximum, abaisser les côtes en expirant, puis relâcher le ventre. Faire cet exercice très lentement et sans à-coups. Avec l'entraînement, procéder selon un rythme à déterminer ; par exemple : compter quatre secondes pour inspirer et autant pour expirer, puis six, huit, dix, ou plus. Essayer ensuite de marquer un temps d'arrêt d'une ou deux secondes, entre inspiration et expiration, puis entre expiration et inspiration.

La *danse du ventre* orientale est un bon exercice physique, très favorable aux viscères abdominaux.

Le *bain de siège froid* est le moyen le plus simple et le plus efficace d'utiliser l'eau. Activant tous les échanges, accélérant la circulation sanguine et précipitant l'élimination des déchets, il est précieux également comme préventif et curatif. On le pratique dans un récipient assez large et profond pour contenir cinq à dix litres d'eau. Une fois assis dans le bain, il faut avoir de l'eau jusqu'à l'aine. Il est possible de prendre ce bain dans une baignoire, en surélevant les pieds avec un petit banc.

N'importe quelle eau crue peut être utilisée : de robinet, de puits, de pluie, de source, de rivière, de mer, etc.

Avant d'en arriver à l'eau froide, il est parfois nécessaire d'habituer progressivement l'organisme, en commençant par des bains légèrement tièdes, dont la température sera ensuite un peu plus basse chaque jour, jusqu'à arriver aux environs de 18°C. Plus encore que la température d'eau, c'est celle du local où le bain est pris qui requiert l'attention. En effet, un bain froid est mieux supporté dans une pièce chauffée qu'un bain tiède dans un local froid. En aucun cas, le corps ne doit se refroidir (sauf la partie immergée). Bien couvrir toutes les parties restant en dehors de l'eau, si la température ambiante est insuffisante.

Il n'y a rien à faire dans ce bain, qui durera de 3 à 5 minutes, selon la saison ou la résistance au froid. Après le bain, faire des frictions du bas-ventre et des reins, avec la main nue ; se rhabiller après essuyage sommaire.

Ne pas faire ce bain pendant les règles, ou en cas de fatigue excessive, ou s'il provoque des troubles cardiaques (palpitations, etc.) ou un refroidissement général.

Pour stimuler la fonction hépatique, il est souvent recommandé d'appliquer, chaque soir, un *cataplasme d'argile* sur le foie, en tenant compte des instructions et recommandations données précédemment. Au début des applications, il est préférable d'attendre une heure et demie à deux heures après le repas, mais par la suite, quand le corps est habitué à l'argile, on peut mettre l'argile presque tout de suite après le repas, mais il faut alors tiédir légèrement le cataplasme pour ne pas entraver la digestion.

Le *soleil* transforme les stérols de la peau exposée à ses rayons. C'est ainsi que se fabrique une grande partie de la vitamine D dont a besoin l'organisme humain, le reste étant apporté par les huiles naturelles et les végétaux récemment insolés. Il est probable — pour ne pas dire certain — qu'une partie du cholestérol est ainsi transformée, ce qui épargne au foie d'en réaliser la synthèse ou de le neutraliser s'il est en excès.

Comme pour toute pratique naturelle, mais inhabituelle, la progression est une règle à respecter si l'on veut éviter des déboires. L'exposition au soleil commencera donc par les jambes, puis l'abdomen, ensuite le thorax et toute la partie supérieure du corps. Il est préférable de ne pas stationner, mais de marcher, courir, jouer, ou jardiner. Si l'on reste un moment immobile, il faut tenir la tête à l'ombre. Chaque fois que cela sera possible, c'est le corps tout entier qui sera exposé aux rayons bienfaisants du soleil.

TRAITEMENT EN CAS DE CRISE

Tous les signes apparents, annonciateurs d'une quelconque perturbation dans les fonctions hépatiques, ont été décrits et étudiés ; il n'y a donc pas à y revenir ; voyons plutôt ce qu'il y a lieu de faire.

On se souviendra que, lors de la déficience du foie, les albumines de certains aliments (laitages notamment) ne sont pas transformés correctement et deviennent des poisons. Ces substances ne sont plus métabolisées et passent du système porte à la circulation générale où elles vont donner naissance à de graves troubles nerveux se traduisant par le tremblement des doigts et des mains, des périodes d'apathie ou d'agitation, de la confusion mentale.

Au tableau qui précède il faut ajouter qu'en cas d'élévation de la température du corps, la sécrétion de certains ferments, indispensables à la digestion, est interrompue. Il s'ensuit des putréfactions libérant des gaz et toxines qui mettent l'organisme en très mauvaise posture, la situation initiale se trouvant considérablement aggravée.

La conduite à tenir doit donc être dictée par la situation ; dans tous les cas, réduire l'alimentation, en supprimant les éléments azotés (laitages, œufs, farineux, céréales). S'il y a fièvre, cesser toute alimentation, même liquide (bouillon de légumes, lait, jus de fruits non coupés d'eau, etc.).

Par contre, il faut toujours boire beaucoup, le plus possible ; plusieurs litres par jour, si l'on peut. Choisir des liquides inorganiques non nutritifs, notamment : tisane, eau avec jus de citron ou argile en poudre. Il faut « laver » sang et foie, sans apporter d'éléments nutritifs risquant de devenir des poisons. Quand, après quelques jours de jeûne, l'alimentation sera reprise, c'est avec des jus de fruits ou de carotte, coupés d'eau, qu'il faudra commencer. Ensuite : fruits frais, puis légumes crus.

Les théories médicales modernes font grand cas des protéines dont les carences mettraient le foie dans l'incapacité d'accomplir toutes ses fonctions normales. Or, il est remarquable que c'est le foie des végétariens qui fonctionne d'une façon satisfaisante, sans jamais occasionner aucun trouble s'il a été bien traité lors de l'abandon de l'alimentation carnée. C'est donc autre part qu'il faut chercher les causes de perturbations. Toutefois, il peut être parfois souhaitable de suppléer quelques fonctions de synthèse, provisoirement défaillantes, et l'on se souviendra alors que les protéines les plus riches en acides aminés (les seules à les contenir tous), sont celles de l'œuf que l'on introduira dans l'alimentation en quantité modérée. Si l'œuf n'est pas bien toléré, il faut alors l'incorporer à des plats cuisinés. En aucun cas, il ne faudra prendre plus de deux à quatre œufs par semaine, et seulement en dehors des périodes de crise.

Le traitement proprement dit sera ainsi mené :

Matin à jeun : Une cuillerée à café d'argile, dans un demi-verre d'eau. Préparer la veille au soir.

Avant les repas : Une tasse de tisane « Engorgement ou congestion du foie ».

Après les repas : Le jus d'un (ou 1/2) citron, dans une tasse d'eau chaude, avec du miel.

Comme boisson : Eau citronnée, infusions de Romarin, de Thym, de Menthe, d'Ulmaire, de Camomille romaine.

Le soir, au coucher : Une tasse de tisane indiquée pour la constipation, si nécessaire.

Le cas échéant, remplacer la tisane « Engorgement du foie » par celle indiquée pour « Ictère et Cholémie ».

Si le foie est très fragile, prendre plutôt la tisane pour « Insuffisance hépatique » qui procure des effets plus doux.

Lorsque l'on possède la conviction d'une obstruction des voies biliaires, prendre alors, après les repas, la tisane prévue pour ce cas, l'argile avant un repas, le citron entre les repas et, le matin à jeun, une cuillerée à dessert d'huile d'olive, avec le jus d'un demi-citron.

En cas d'hépatite virale, ajouter un demi-litre à un litre de buis par jour, à prendre entre les repas.

Chaque jour, appliquer sur toute la ceinture (du foie à la rate) le cataplasme son-chou-oignons, et en plus, s'il y a de la fièvre, un, deux ou trois cataplasmes d'argile sur le bas-ventre. Ceci tous les jours, et tant que durera la fièvre.

La crise passée, il est bon de continuer encore, pendant deux ou trois semaines, les applications de son-chou-oignons, chaque soir, au coucher ; puis commencer de prendre un bain de siège froid, chaque matin.

Pendant ces périodes de grandes perturbations, il est évidemment préférable de garder le lit ; ce repos accélérera la transformation des protéines en énergie, précieuse pour assurer les fonctions de défense, le corps ayant plus besoin d'énergie que le plasticité. Le repos au lit libère aussi des vitamines et acides aminés assurant la protection de l'organisme.

TRAITEMENTS SECONDAIRES

Après l'amélioration des fonctions hépatiques et la mise en route du traitement de fond, on peut alors envisager des mesures locales, adaptées aux circonstances. C'est ainsi qu'en cas de troubles visuels, des cataplasmes d'argile pourront être appliqués sur le front ; qu'en cas de pieds plats, des cataplasmes d'argile seront mis sous les pieds ; qu'avec la faiblesse des reins, des cataplasmes son-chou-oignons pourront être appliqués sur la région intéressée, etc.

L'INSUFFISANCE HÉPATIQUE DES ENFANTS

C'est un cas rencontré, malheureusement, très fréquemment actuellement. Il implique aussi la réforme des habitudes alimentaires, dans le cadre de l'ordre naturel.

L'argile sera donnée à boire, à raison d'une demi-cuillerée à une cuillerée à café, par jour, dans un peu d'eau, en plusieurs fois, le matin et entre les repas.

Comme *boisson,* de l'eau citronnée.

Après les repas, faire prendre une infusion de *romarin* ou la tisane indiquée pour l'*insuffisance hépatique,* très agréables au goût et bien acceptées par les enfants.

Donner, chaque jour, un petit bain de siège froid de 2 à 3 minutes et, chaque soir, mettre 2 ou 3 épaisseurs de feuilles de chou, crues, sur tout l'abdomen ; bander et laisser la nuit en place.

Si l'enfant est constipé, mettre le soir, dans une tasse d'eau froide, un ou plusieurs follicules de séné (en principe : 1 par année d'âge) ; laisser macérer toute la nuit ; au matin passer, tiédir (si besoin) et faire prendre.

CONCLUSIONS

Avant de s'orienter vers un traitement naturel, un effort de nouvelle compréhension, de réforme des concepts, est indispensable pour suivre l'évolution de la situation sans alarme inutile.

Avec les conceptions habituelles, c'est surtout la sédation de la douleur, l'effacement des symptômes qui sont recherchés, lors du recours à une quelconque médication. Ce résultat ne peut être entrevu que selon une optique déformée, une méconnaissance totale des phénomènes naturels.

La maladie indiquant un effort de l'organisme pour se libérer des poisons accumulés, ou encore l'aberration de certains organes (foie, notamment) rendus incapables, du fait de l'intoxication, de synthétiser les éléments utiles ou de neutraliser les inutiles et les nocifs, il est bien compréhensible que le retour à une situation normale n'est pas le fait d'introduire une substance chimique dans l'organisme, mais d'évacuer d'abord ce qui est en surcroît.

Une crise peut donc survenir, alors que l'organisme a récupéré en partie ses réserves vitales. Elle n'implique nullement une aggravation ou une stagnation de l'état, mais est l'indice d'un effort curatif du corps qui tente de chasser les toxines et de remettre en état les organes défaillants.

D'ailleurs, celui qui a un foie en meilleur état doit immédiatement ressentir, à son niveau, toute infraction à l'ordre naturel, notamment en matière d'alimentation. Toute incartade alimentaire appelle une réaction du foie sain.

Nombreux sont ceux qui n'ont jamais remarqué aucun trouble, ni ressenti aucune douleur, jusqu'au jour où apparaît le délabrement complet du foie. D'un cancéreux, d'un cirrhotique, on dira que, jusque-là, il était en parfaite santé, parce qu'il n'avait jamais rien enregistré d'anormal. Quelle grave erreur ! Un fumeur, intoxiqué par le tabac, ne réagit pas plus devant la cigarette que l'alcoolique devant le verre d'alcool. Seraient-ce là des indices que ces produits ne sont pas nocifs ? En réalité, toute substance toxique, à quelque dose que ce soit, ne peut être acceptée par un organisme vraiment normal.

La plupart des hépatiques ont le foie tellement encrassé ou engourdi qu'il est dans l'incapacité totale de réagir. C'est alors l'accumulation des substances toxiques aboutissant à la catastrophe. Il est ainsi bien tard pour intervenir efficacement, les réserves vitales étant épuisées.

Heureux ceux qui sont assez sages et clairvoyants pour ne pas attendre ce stade en s'orientant vers une autre voie, celle de la santé totale, qui ne permet ni compromission, ni accommodement avec une situation anormale.

L'alimentation naturelle enrichit notre organisme de substances assurant ou favorisant la protection de la santé. La seule intervention acceptable, en période de maladie, est de contribuer à l'effort du corps, en secondant la nature qui assumera la meilleure des défenses. L'ingénieur qui l'a construit n'est-il pas le mieux qualifié pour assurer son entretien ? Faisons donc confiance à la nature et efforçons-nous à la connaissance de ses lois pour ne pas les transgresser.

ÉLÉMENTS DE « CHOIX SANTÉ »

LES HÉPATITES

Le monde médical est inquiet devant la complexité du problème, car il y a hépatite A, hépatite B et hépatite non A, non B. Ce que l'on admet c'est que si l'hépatite virale de type A (d'origine alimentaire) n'est pas trop inquiétante pour le médecin (et, accessoirement, le malade) l'hépatite B est une affection aux conséquences graves le plus souvent. Pour bien restituer l'aspect complexe du problème, voici que sont « soupçonnés » des virus non A : non B, donc non identifiés et apparemment différents (virus à ARN).

L'attitude serait donc l'expectative, le plus souvent, ce qui peut se concevoir assez bien, aucun médicament n'étant à la fois actif contre les virus et inoffensif pour l'organisme qui le reçoit.

Malheureusement, cette position de sagesse présenterait tout de même un danger considérable, celui de lésions aiguës du foie par effet cytotoxique au niveau des cellules touchées par le virus, consécutivement à une réponse immunitaire non soutenue par un traitement à la fois actif et non nocif.

De plus, s'il n'est pas ainsi neutralisé, le virus de l'hépatite B peut être à l'origine d'une orientation vers la chronicité.

On reconnaissait donc deux variétés principales d'hépatite : la forme « A », hépatite infectieuse ou spontanée, dont la transmission aurait lieu surtout par voie orale et l'hépatite virale « B », dite aussi hépatite d'inoculation ou hépatite du sérum (terminologie suggestive) ; un troisième agent (virus C) serait soupçonné (hépatites post-transfusionnelles d'incubation longue, non associées au virus HB et non reliées sérologiquement au virus HA). D'autres variétés apparaîtront sans doute, comme cela se produit avec la grippe.

Pour le virus A (MS1), dont la contamination se ferait par voie orale, il est admis une durée d'incubation de 15 à 40 jours. Ce virus n'étant pas identifié, on ne peut donc le déceler dans le sang destiné à la transfusion, et c'est sans doute une maigre consolation d'apprendre qu'il s'agit d'un virus à acide ribonucléique (ARN), constitué de particules très proches de celles des entéro-virus dont l'un des spécimens les plus connus est le virus poliomyélitique.

Le virus de l'hépatite B est, par contre, un virus à acide désoxyribonucléique (ADN) dont la particule est plus grosse. C'est l'antigène Australia contre lequel on espère trouver un vaccin, ce qui est exclu pour le virus A, non identifié.

La durée d'incubation de cette hépatite à virus B serait de 60 à 160 jours. Si sa transmission se fait surtout par voie parentérale, elle peut survenir aussi par voie orale. Le virus de l'hépatite B est considéré comme le « chef de file » d'une nouvelle classe de virus désigné Hapa DNA virus, apparentés aux rétrovirus, agents de graves infections chroniques.

Médicalement, les gamma-globulines ont été expérimentées : elles protégeraient contre le virus A, mais, en contrepartie, sembleraient empêcher le développement de l'immunité naturelle. Ce recours, inopérant pour le virus B, serait d'ailleurs superflu et même inopportun puisqu'il existerait un anticorps efficace contre le virus A.

Il doit bien exister tout de même une protection naturelle, contre l'hépatite à virus B, puisqu'elle est pratiquement inconnue dans nos milieux harmonistes. D'autre part, la contamination se faisant prioritairement par voie sanguine (sexuelle aussi), on peut s'en tenir à l'écart.

La première forme survenant parfois chez les sujets jusque-là en bonne santé, pourvus d'un système immunitaire apparemment efficace, on peut se demander pourquoi l'hépatite surgit ainsi, alors que l'on résiste si bien à tant d'autres choses. Une tentative d'explication n'est donc pas superflue.

On le sait, et on ne le conteste plus, les antibiotiques, en s'attaquant à la barrière microbienne, ont ouvert une brèche par où passent les virus. Ceux-ci ont alors pris une énorme extension, aussi bien en ce qui concerne le corps humain que les végétaux (avec l'intervention des engrais chimiques, pesticides, etc., lesquels ont agi comme les antibiotiques en médecine humaine ou vétérinaire).

Il n'est d'ailleurs pas que les antibiotiques pour désorganiser la flore normale de l'intestin, les antifungiques en faisant de même. Il s'ensuit une prolifération de levures ou de germes secondaires, souvent très dangereux, comme le staphylocoque doré.

De nouvelles souches virulentes sont même apparues, et gens, bêtes et plantes sont soumis aux multiples agressions, toujours renouvelées, de ces nombreux germes, encore inconnus de l'organisme, lequel doit adapter son appareil défensif. Quand le corps est libre de tout autre encombrement, et dispose d'un système immunitaire bien préservé et entretenu, il fait face à l'agression et s'en tire sans séquelles. Les agents curatifs naturels sont alors précieux pour le seconder dans cette entreprise. De même, avec une culture biologique du sol, les plantes peuvent résister plus intensément aux agressions en provenance des autres cultures.

Sans doute accepte-t-on assez mal d'être victime d'une affection virale, alors que l'on n'utilise pas d'antibiotiques. Malheureusement, il n'en est pas de même pour la plupart des autres, lesquels se chargent de cultiver ces virus et de les répandre autour d'eux.

Peut-être n'est-ce pas directement ces germes qui s'installent et font souche, mais c'est leur action irritante sur le provirus, constituant héréditaire de la cellule, qui peut contribuer à le transformer en virus actif.

Si survenait une hépatite, alors que l'alimentation a été réformée, ce serait la forme A, laquelle débute souvent comme une grippe, mais avec des douleurs épigastriques, des démangeaisons ici et là, une inappétence presque totale. Après quelques jours, la jaunisse apparaît, particulièrement nette pour la sclérotique de l'œil.

Parfois, il peut s'agir, même avec ces symptômes, d'une simple grippe à incidences hépatiques. Ceci survient lorsque le foie est fragile de naissance. On le sait, car la plupart des incidents de santé se portent le plus souvent du côté de la partie faible. Il importe d'ailleurs assez peu de distinguer si l'on se trouve en face d'une hépatite ou d'une grippe à incidences hépatiques, le traitement naturel étant le même.

L'hépatite est d'évolution lente et de guérison assez tardive ; cela peut se guérir très vite, mais parfois demander de quatre à huit semaines avant de pouvoir reprendre des activités normales En médecine conventionnelle, c'est d'ailleurs ce que l'on prescrit comme repos, celui-ci étant considéré comme l'élément essentiel du traitement, à l'exclusion presque totale de médicaments.

Bien entendu, on ne se satisfera pas de cette attitude passive, car, alors qu'une hépatite « soignée » médicalement laisse presque toujours des traces, il n'en est pas du tout de même lorsque le traitement naturel a été appliqué avec assiduité. Celui-ci consiste déjà à se passer de nourriture, au moins le temps que dure la fièvre élevée (au-dessus de 38° C). Par contre, il faut boire, et beaucoup (jus de citron avec un peu d'eau, eau argileuse, tisanes). On doit, littéralement, « laver » le foie... et les reins, par surcroît.

Le buis agissant remarquablement devant les virus, son intervention s'impose dans toutes les affections virales (grippe, hépatite, zona, etc.). En faire bouillir 30 g pendant dix minutes dans un litre d'eau ; laisser refroidir ; passer, puis boire à volonté, en alternant avec une des tisanes hépatiques mentionnées dans la première partie.

L'argile est appliquée en cataplasmes épais sur le foie. En principe, le cataplasme peut être laissé trois heures en place, environ ; mais, s'il est très chaud quand on le retire, il faut garder moins longtemps le suivant. Pratiquer ainsi toute la journée, un cataplasme succédant à l'autre, et, le soir, remplacer l'argile par trois ou quatre épaisseurs de feuilles de chou cru, écrasées au rouleau à pâtisserie, et légèrement chauffées. Bander et garder toute la nuit. Quand les activités commencent à être reprises, ne plus appliquer l'argile que le soir, au coucher, et la laisser toute la nuit en place.

Lorsque la température descend, l'alimentation est reprise progressivement, en commençant par des fruits, puis des légumes crus, de la salade. Ensuite, des légumes cuits, du yaourt, des compotes. Les pommes de terre, le pain et les céréales ne sont réintroduits dans les menus que quelques jours après, et très doucement ; de même pour les légumineuses. Finalement, viendront les fromages et les œufs (et le beurre, si celui-ci est habituellement utilisé).

A la rubrique « Tisanes composées » se trouvent plusieurs formules que l'on pourra utiliser successivement, compte tenu de l'indication précisée. Une tisane pour le foie est toujours la bienvenue.

Il importe que l'hépatite soit bien soignée et que le traitement soit poursuivi assez longtemps, car il peut s'ensuivre des anomalies dans les fonctions hépatiques, avec orientation vers la formation de calculs biliaires.

CHOLESTÉROL :
TROP OU PAS ASSEZ ?

D'après ce que l'on pourrait en déduire d'assez nombreuses informations médicales, une certaine confusion viendrait perturber l'assurance devant l'interprétation des analyses. Non seulement, on admet qu'il faut tenir compte des diverses variétés de cholestérol, mais que les indications du laboratoire sont sujettes à interprétation.

Selon une étude parue dans le périodique médical anglais « Le Lancet », à 65 ans, il serait plus dangereux d'avoir un taux de cholestérol trop bas que trop élevé. L'augmentation du cholestérol avec l'âge serait un processus d'adaptation indispensable au maintien des caractéristiques de la membrane cellulaire.

Une étude médicale française (MRFII) a fait ressortir que, pour un taux de cholestérol inférieur à 1,60 g, le risque d'hémorragie intracrânienne serait trois fois plus élevé que lorsque le cholestérol est plus abondant. Pourtant, cela ne saurait faire omettre le rapport entre l'évolution du taux de cholestérol et les accidents vasculaires cérébraux non hémorragiques.

En complément à ces constatations, on peut ajouter qu'il est devenu notoire que cela n'est plus avisé d'évoquer un seul cholestérol, mais qu'il convient de préciser (ce que ne font pas toujours les analyses courantes) si l'on se trouve en présence de H.D.L. (hight density lipoprotéines), ou alphalipoprotéines, « bon » cholestérol, transporté des vaisseaux vers le foie pour y être épuré, ou de l'inquiétant L.D.L. (low density lipoprotéines), ou bêta-lipoprotéines, cholestérol qui, par un mouvement inverse, va se déposer sur la paroi vasculaire. A ceux-là, il faut ajouter les V.L.D.L. (very low density lipoprotéines), cholestérol de faible densité qui transporte du foie à la périphérie les triglycérides endogènes pouvant contribuer ainsi à la formation d'amas graisseux.

Pour compléter, on peut ajouter la L.C.A.T., ou lécithine cholestérol acyl transférase, enzyme assurant l'estérification du cholestérol.

En réalité, plus que de divers cholestérols, il s'agit de lipoprotéines le véhiculant (bien ou mal), donc de transporteurs et médiateurs.

Rien ne précise non plus, dans les analyses, que le cholestérol en suspension dans le sang est en instance d'agglutinement sur la paroi interne des vaisseaux ou de concrétion dans la vésicule biliaire. Pas plus que l'on possède l'assurance qu'il ne s'agisse pas tout simplement de produit de désassimilation séjournant transitoirement dans le sang, en prélude à l'évacuation.

Apparemment nouvelle — tout au moins en ce qui concerne les conceptions médicales courantes — cette réserve à propos du cholestérol et des analyses en signalant la présence transparaissait déjà dans une remarque faite en mars 1958, date de la parution de la première édition de la plaquette « Cholestérol et Artériosclérose». Un exemple y est ainsi donné d'une personne ayant pratiqué le traitement naturel et chez qui le taux de cholestérol s'était d'abord trouvé en augmentation (avant d'être en réduction par la suite), tandis que les autres éléments pouvant être réellement inquiétants, comme l'urée, étaient en nette régression. De statique, le cholestérol était devenu véhiculant, ce qui laissait entrevoir des possibilités d'élimination des excédents.

Théoriquement, le cholestérol est un « alcool secondaire tétracyclique cristallisé » se rencontrant dans la plupart des tissus et humeurs de l'organisme humain. Le cerveau en contiendrait beaucoup, mais sa principale destinée serait son oxydation en acides biliaires. Ce sont ses dépôts, artériels surtout, qui présentent des dangers.

D'ailleurs, une cholestérolémie, peut être relativement élevée sans provoquer d'incidents fâcheux si les H.D.L. dominent.

Plus le taux de ce H.D.L. est bas, plus le risque d'athérosclérose est élevé. A l'inverse, l'élévation de ce taux de cholestérol réduit le risque athérogène.

Le cholestérol fixé sur ces H.D.L. est prélevé au niveau des tissus et des parois artérielles pour être dirigé vers le foie et son catabolisme hépatique.

C'est donc le chemin inverse du « mauvais » cholestérol (L.D.L.), lequel va se déposer au niveau des tissus. Dans les lésions arthéromateuses, on retrouve l'apoprotéine B, présente dans les V.L.D.L., et surtout les L.D.L.

Il est donc difficile de s'y retrouver au fil des analyses, pour· autant que la plupart d'entre elles, à partir desquelles le médecin établit pourtant son diagnostic et ses prescriptions, ne servent à rien, ou presque (cela ne serait d'ailleurs pratiqué qu'en France), car faisant double emploi et ne permettant qu'un contrôle sommaire du cholestérol total et des triglycérides.

D'autre part, plus que la présence de telles ou telles substances dans les liquides circulants, ce qui importe est l'usage que peut en faire l'organisme. Une fois de plus, l'analyse prend le pas sur la synthèse, pourtant élément prépondérant.

Ainsi, l'assurance a été acquise que la prescription de médicaments susceptibles de faire baisser le taux de cholestérol n'améliorait en rien la longévité. Par contre, celle-ci ne serait nullement diminuée si le H.D.L. est à la base des excédents.

Autant ces prescriptions de médicaments inutiles que celles d'analyses toujours renouvelées ne semblent guère présenter d'autre intérêt que de meubler l'excédent de temps libre des personnes retirées de la vie active. L'inquiétant, dans ce comportement, c'est que l'angoisse ainsi entretenue ne finisse par avoir des répercussions plus fâcheuses que la situation initiale ayant conduit à la consultation médicale. La diffusion de notions plus conformes à la réalité serait sans doute autrement efficace que tant de pratiques coûteuses, finalement sans intérêt, et même parfois inquiétantes.

Cette notion assez simpliste de la présence de « trop » de cholestérol dans le sang devrait être remplacée par une meilleure et plus complète information concernant tant d'éléments nocifs introduits dans l'alimentation courante. Il faudrait prévenir les éventuels intéressés que certains corps gras sont plus malfaisants que d'autres, tandis que les sucres isolés (différents de ceux apportés par les divers éléments végétaux), de même que les excès d'amidon des céréales égrugées, des farines blutées ou des légumineuses décortiquées ont aussi une influence nocive certaine.

En ce qui concerne particulièrement les graisses, certaines précisions ne sont pas superflues, les lipides circulant dans le sang se présentant sous formes particulières : les lipoprotéines (protéines graisseuses), lesquelles sont constituées de triglycérides (forme de stockage des acides gras dans l'organisme), de phospholipides (graisses phosphorées), de cholestérol libre (alcool gras entrant dans la composition normale des lipoprotéines sériques) et d'apoprotéines (combinaison d'acides aminés).

Ce sont des perturbations survenant dans le métabolisme de ces lipoprotéines qui conduisent à diverses hyperprotéinémies, après répartition initiale des graisses entre celles dites « de réserve » (triglycérides) et celles « de structure » (phospholipides et stérols).

Les corps gras alimentaires véhiculent les vitamines liposolubles (A/D/E, K) et répondent à divers besoins organiques. On ne peut donc se passer de graisses, l'essentiel étant d'assurer les besoins avec les graisses mono-insaturées ou poly-insaturées, lesquelles ne présentent pas les dangers secondaires des corps gras saturés, le plus souvent d'origine animale. Les huiles végétales répondent à ces nécessités.

Deux éléments sont à considérer pour le maintien ou le rétablissement de la santé : une alimentation convenable, des fonctions organiques correctes. La première condition est évidemment celle qui permet d'assurer la seconde. Il faut donc que tout s'accomplisse bien, de la digestion à l'utilisation ou à l'élimination, en passant par tous les stades normaux de l'assimilation.

Un exemple : lorsque les fonctions intestinales sont insuffisantes, il y a surcharge de la bile en acide désoxycholique, sécrété par le côlon, et augmentation du taux de cholestérol. Aussi pourrait-on penser qu'il importe plus d'agir sur l'intestin que sur le foie, mais le premier dépendant en grande partie des sécrétions du second, c'est bien toujours en direction de l'appareil hépatique qu'il convient d'agir en priorité. Conjointement, on admettra qu'une alimentation mal conçue, ne comportant pas assez d'éléments « vivants » et de fibres, n'est guère propice à favoriser le fonctionnement intestinal, ce qui peut également avoir une influence défavorable sur la fonction hépatique. Comme quoi, il y a toujours interaction dans l'éventualité de rétablissement (ou d'installation) d'une situation normale avec l'harmonisation des interventions.

Au départ, le raisonnement se trouve parfois faussé du fait de l'accumulation de notions isolées. Ainsi, certains éviteront de consommer des œufs, arguant que leur jaune est riche en corps gras animaux (donc saturés ce qui est devenu synonyme d'athérogène). Pourtant, cette graisse contient, entre autres, un élément très précieux, la vitamine B6, laquelle contribue à la dégradation d'un agent d'évolution de la cholestérolémie, évitant ainsi la formation d'un facteur favorable au processus de l'athérosclérose.

On se doit donc de tout reconsidérer dans un aspect global, non pas en évitant tel ou tel aliment (une fois, bien sûr, la reconversion alimentaire opérée !), mais en veillant aux associations susceptibles de neutraliser ce qui, dans une autre éventualité, pourrait être considéré comme suspect.

Même lorsque tout semble être apparemment normal, l'intérêt demeure de stimuler toutes les fonctions organiques, que ce soit avec l'aide du bain de siège froid matinal, de la prise périodique d'argile, du recours à certaines plantes ou à certains mélanges agissant favorablement sur le foie.

Cela ne se fait pas systématiquement, comme un « traitement », encore que cette éventualité puisse être parfois à considérer, mais dans le cadre d'une protection d'ensemble, tant contre les risques de remontée de troubles d'origine héréditaire, que du fait des inévitables agressions de la vie moderne, ou des quelques erreurs possibles du comportement.

Enfin, si dans le cadre d'un examen systématique inévitable une analyse vient à faire ressortir un taux de cholestérol considéré comme trop élevé, il ne sera pas nécessaire de se lancer dans une cascade d'autres tests plus subtils, mais d'intensifier un peu les mesures en direction du foie et des intestins, éventuellement avec le recours épisodique à une série de cataplasmes d'argile sur la région hépatique.

SI LA VÉSICULE BILIAIRE RECÈLE BOUE OU CALCULS

(Complétés, voici quelques extraits d'un article paru dans la revue « Vivre en Harmonie » et le livre « De la vésicule à l'intestin »).

Le facteur génétique est assez souvent évoqué pour tenter de discerner l'origine d'incidents divers, telle la présence de boue et de calculs dans la vésicule biliaire. En réalité, cela ressort plutôt des habitudes alimentaires de certaines familles ou de quelques groupes humains. Ce sont donc moins les prédispositions à certains incidents qui se transmettent que la façon d'accommoder les aliments, de même que leur choix.

Une justification ? Combien de familiers de la méthode harmoniste, parfois issus d'une lignée de déficients hépatiques ou vésiculaires, se tiennent à l'abri de ce genre d'atteintes. Qu'ils aient « bien de la chance » est un peu maigre comme argument, surtout que cela se répercute au cours des générations fidèles aux principes harmonistes. Plus éloquent encore : des harmonistes sont témoins de ces fâcheux incidents chez des proches, lesquels n'ont rien modifié à leur façon de vivre.

Il n'est pas discutable que des facteurs de faiblesse organique ou fonctionnelle se transmettent. Mais, le plus souvent, cela peut se surmonter, à condition, bien entendu, d'avoir changé d'orientation avant que la situation ne soit trop compromise. Si elle l'est déjà vraiment, il subsiste tout de même la perspective de la surmonter au mieux, avec les soins naturels.

Ainsi que cela figure dans le livre « De la Vésicule à l'Intestin », et comme il était mentionné dans l'article de « Vivre en Harmonie » de juin 1977 (le temps passe, mais la vérité harmoniste demeure !), boues et calculs résultent de la précipitation, dans les voies biliaires, de substances normalement en solution dans la bile. Celle-ci, à l'état normal, contient des sels de bilirubine (pigment provenant de la dégradation de l'hémoglobine, colorant la bile en jaune-brunâtre, et aussi la peau et les urines en cas d'ictère), du cholestérol, des pigments stabilisants, des sels biliaires et des lipides dont les lécithines (phospholipides). Le cholestérol est solubilisé par les sels biliaires et l'association sels biliaires-lécithine.

En général, chez la femme, les calculs sont plus riches en cholestérol que chez l'homme. Pour ce dernier, les calculs renferment plus souvent du palmitate et du carbonate de calcium (ce qui les rend plus réfractaires aux traitements éliminatoires).

Dans la majorité des cas, les calculs seraient mixtes, constitués surtout de cholestérol et de bilirubinate de calcium, pourtant cela varie, non seulement d'un sexe à l'autre, mais d'un pays à l'autre, ce qui met bien en évidence le rôle déterminant de l'alimentation. Ainsi, en Angleterre, les calculs sont plus riches en carbonate de calcium, alors qu'en Suède, en Allemagne et en Italie, c'est surtout l'association cholestérol et carbonate de calcium. Au Japon, on retrouve plus de bilirubine, mais moins de cholestérol.

En France, si l'on distingue plusieurs types de calculs, les plus fréquents seraient les cholestérol-pigmentaires, des concrétions se réalisant avec l'apport de mucus sécrétés par une paroi lésée, très altérée ou sujette à l'inflammation.

Quand les fonctions hépatiques s'accomplissent correctement, le foie élabore et sécrète des biles de composition différente dont certaines ont des propriétés bien déterminées. Ainsi est-il, parmi elles, celles dites « biles lithogènes », renferment un acide biliaire (chéno-désoxycholique ou acide « chénique ») qui favorise la solubilisation du cholestérol dans la bile, parvenant ainsi, parfois, à dissoudre les calculs.

Si la vésicule est « paresseuse », elle « consomme » plus de lécithine, ce qui peut favoriser la précipitation du cholestérol et la formation de calculs.

La consistance et le pH de la bile, ainsi que le rythme de la sécrétion biliaire peuvent être modifiés sous l'influence de certains corps gras imparfaitement métabolisés, ce qui joue un rôle dans la formation éventuelle de calculs.

Une telle influence de cet ordre est parfois exercée également lors de carences en ces substances stabilisantes que sont les acides biliaires et les phospholipides, une déficience dans les sécrétions primaires pouvant modifier les élaborations successives.

Rares sont les atteintes du foie ou les anomalies de la fonction hépatique se manifestant par des douleurs (tout au moins à un certain stade), et c'est d'ailleurs ce qui en masque la réalité aux intéressés. Aussi, lorsque des douleurs apparaissent (à droite, sous la dernière côte, et au toucher, surtout) il faut penser à une anomalie vésiculaire, pouvant aller de la simple inflammation à la lithiase.

Bien que, seule, l'intervention de la radiographie puisse confirmer la présence certaine de calculs dans la vésicule biliaire, de même que donner des indications quant à leur volume ou leur nombre approximatif, certains symptômes peuvent en signaler la présence éventuelle.

En effet, il n'y a guère d'autre hypothèse que la migration d'un calcul pour expliquer les très violentes coliques hépatiques dont la crise atteint généralement son paroxysme trois heures après le repas ou vers trois heures du matin. Très pénibles et souvent même insupportables, s'accompagnant parfois de vomissements, ces douleurs ont leur siège dans la partie droite de l'hypocondre, sous les côtes, avec parfois extension en barre vers l'épigastre et l'hypocondre gauche et irridiation vers l'épaule.

Le dépôt de boue et la concrétion en calculs peuvent se passer «silencieusement», et c'est lorsque la sortie de la vésicule se trouve obstruée et que la bile ne s'écoule plus, ou bien quand survient une inflammation ou une infection, que les inconvénients directs apparaissent. La lithiase vésiculaire peut déclencher la colique hépatique, à la suite, soit d'un repas trop riche en graisses, soit d'une simple contrariété.

On peut admettre que la tentative d'expulsion des calculs est un effort libératoire de l'organisme. Si cette réaction survient alors qu'un important travail de réfection est déjà bien avancé, grâce, notamment, à la réforme alimentaire, le calcul peut se trouver évacué sans trop de désagréments si son volume n'est pas excessif; mais, lorsque la crise survient prématurément, alors que les canaux ne sont pas encore assez souples et en bon état, le calcul peut être arrêté au cours de sa migration, et c'est l'incident pénible et douloureux.

Certains médicaments ont la réputation de faciliter l'expulsion de très nombreux calculs que l'on retrouverait dans les selles. La plupart du temps, il ne s'agit que de concrétions de matières fécales dans les intestins. Ce sont ces «coprolithes» que l'on peut identifier alors dans les selles, et non des calculs biliaires.

Différents acides (chéno-désoxycholique ou «chénique», aminoéthysulfurique...) étant des composants de la bile vraiment normale, on comprend alors combien il est plus avisé de s'orienter vers la remise en ordre des fonctions que de rechercher des palliatifs, lesquels ne peuvent apporter que des solutions de fortune. En présence d'encombrement, mieux vaut donc essayer de s'en accommoder, tout en agissant pour que les échanges et élaborations se régularisent. Le traitement naturel suffit bien souvent pour atténuer les désagréments passagers tout en incitant les sécrétions à se normaliser et les concrétions à se résoudre et à s'éliminer.

Parfois, les coliques hépatiques sont assez fréquentes, mais n'ont pas l'intensité de celles qui accompagnent les migrations de calculs. C'est que la vésicule peut recéler une «boue», laquelle provoque un état inflammatoire de la vésicule et des conduits proches. Presque toujours, il en résulte un point douloureux, permanent.

Cet état peut être qualifié de «précalculeux», car c'est de la concrétion de cette boue que naîtront les calculs biliaires. Sans doute en est-il comme de la formation des plaques athéromateuses dans les artères lors de l'artérite, plusieurs conditions devant être réunies pour la poursuite du phénomène morbide. D'abord, la présence, dans le sang, pour l'artérite, ou dans la bile, pour la lithiase, de substances de désassimilation en suspension.

Il peut y avoir un gros et unique calcul (cas d'ailleurs le plus rebelle), généralement composé d'un dépôt de cholestérol englobé de carbonate de calcium, ou des calculs multiples formés par du bilirubinate de calcium, ou encore des carbonates, et du bilirubinate de calcium combinés à des sels organiques, ou encore de la boue biliaire constituée d'innombrables et minuscules calculins. Des calculs peuvent se trouver dans toutes les voies biliaires intra ou extra-hépatiques (canal cystique ou cholédoque, col de la vésicule), mais le siège le plus fréquent en est la vésicule.

L'excès de nourriture conduit l'homme aux maladies arté-rielles (qu'il accentue avec alcool et tabac), l'enfant à l'obésité et au diabète, la femme à la lithiase vésiculaire ; encouragée par le café et le vinaigre, elle « fait » des calculs biliaires.

On pourrait dire que la vésicule biliaire est en correspondance directe avec le cœur, et nombreux sont ceux qui peuvent souffrir, à la fois, de la vésicule et du cœur. On les remarque à la coloration foncée de l'œil (les porteurs de beaux yeux sombres doivent envi-sager des soins assidus du foie et des voies biliaires, de même que la plupart des cardiaques auront intérêt à s'intéresser vivement à leur vésicule).

Cette correspondance vésicule/cœur existe également en sens inverse. Ainsi trouvera-t-on une grande fréquence de formation de calculs biliaires chez les porteurs de prothèses valvulaires aorti-ques. Encore qu'il soit possible de supposer que les anomalies vési-culaires aient pu précéder les inconvénients cardiaques, il n'en reste pas moins que le lien direct entre cœur et vésicule ressort nettement. Soigner l'un profite toujours à l'autre.

Il serait possible de vivre à peu très normalement malgré la présence de calculs dans la vésicule biliaire, mais cela est assez dif-ficile lorsque, avec les conditions de vie anormales ayant conduit à cette situation, la bile reste épaisse et la vésicule enflammée.

Par contre, avec la réforme de ces conditions de vie, avec une alimentation convenable, avec le recours aux tisanes facilitant le drainage et l'évacuation des substances résiduelles et une meil-leure utilisation des éléments nutritifs, on peut espérer une cer-taine tranquillité, avec parfois une réduction progressive des cal-culs ou leur évacuation sans trop de désagréments.

Choléritique et cholécystokinétique (qui stimule la sécrétion de la bile par la cellule hépatique et provoque la contraction de la vésicule biliaire), l'huile d'olive est un remarquable draineur des voies biliaires et un agent de lubrification et de désobstruction, utile, notamment, dans les ictères par rétention, du fait de la pré-sence de boue biliaire ou d'un calcul mobile agissant comme le cla-pet d'une valve. Cette bonne huile réduit encore les douleurs de la cholécystite hépatique et peut même atténuer celles d'une crise de colique hépatique.

On peut commencer avec une cuillerée à café, puis à dessert (éventuellement à soupe, ensuite, si cela est bien supporté) en ajoutant le jus de citron qui évite l'écœurement possible, facilite la digestion et contribue à la dissolution des boues et calculs.

Certaines plantes, réputées pour leur action sur le système hépatique, sont plus favorables que d'autres. En général, ce sont celles qui provoquent ou facilitent les contractions de la vésicule biliaire, donc l'excrétion de la bile (effet cholécystocinétique), stimulent la sécrétion de la bile par la cellule hépatique (cholérèse) ou encouragent l'évacuation de la bile présente dans les voies extra-hépatiques et surtout dans la vésicule biliaire (action cholagogue).

Les plantes se révélant les plus favorables à contribuer, en même temps, à l'évacuation des calculs, à la stimulation et à la régularisation de la sécrétion biliaire sont la racine d'asperge, les feuilles d'olivier et d'artichaut, la racine de rhubarbe, de pissenlit et de chicorée, les fleurs de souci, le romarin, la verveine, la sauge. Le buis, cet efficace antiviral, peut intervenir efficacement, surtout en cas d'infection, ou même simplement de menace, à titre préventif.

Bien d'autres plantes à tisanes sont intéressantes, aussi peut-on en faire l'essai, jusqu'à découvrir celle qui se révélera la plus efficace : gratteron, bétoine, feuille de noyer, chardon Roland, véronique, liseron des haies, patience...

Au passage, il peut être utile de noter que la lithiase est une manifestation de troubles hépatiques pouvant être associés à une déficience du pancréas. On retrouve d'ailleurs une association « lithiase biliaire-pancréatite chronique », çe qui justifie l'introduction du fenugrec dans le traitement. De même que l'application de l'argile sur foie et pancréas. D'ailleurs, quand les cataplasmes sont appliqués sur la vésicule biliaire, qui se trouve un peu à droite et sous les côtes, le pancréas est juste un peu en dessous, donc sous l'influence de l'argile.

Pour un traitement de fond, l'argile est particulièrement indiquée. Au début, mettre des cataplasmes tièdes, que l'on gardera une heure et demie à deux heures. Par la suite, on peut appliquer l'argile, en cataplasmes plus épais (au moins deux centimètres), à la température ambiante. On arrive facilement à supporter ces cataplasmes toute la nuit.

Toutefois, il faut signaler que, l'argile revitalisant particulièrement la région sur laquelle on l'applique, il peut s'ensuivre quelques réactions — bienfaisantes, mais parfois dures à admettre ou pénibles à supporter — que l'on n'a pas toujours intérêt à précipiter. Ainsi pourrait-on parfois entraîner une migration prématurée des calculs.

On peut donc avoir intérêt à commencer le traitement naturel avec des applications de feuilles de chou dont la légèreté permet la poursuite des occupations (couper la grosse côte, écraser au rouleau à pâtisserie, chauffer la feuille en contact avec la peau, la mettre en place et deux ou trois autres par dessus ; maintenir avec une bande souple et garder la demi-journée).

Aussi actifs que soient ces remèdes naturels, cela ne servirait pas à grand-chose d'y recourir si, parallèlement à leur emploi, on ne s'orientait pas vers une alimentation plus correcte que celle ayant abouti à un si mauvais résultat. En s'éloignant de la notion de « régime », ce qui supposerait une installation dans la maladie, un accommodement avec l'anomalie, il convient de s'orienter vers l'alimentation vivante et réellement naturelle, favorable dans toutes les situations et conseillée dans la méthode harmoniste pour tous et pour tout. Pour toutes précisions à ce sujet, se reporter aux livres consacrés à l'alimentation (« Vivre sain » ou « Initiation à l'alimentation végétarienne moderne »).

La question est quelquefois posée de savoir si l'argile ne peut venir se déposer dans la vésicule biliaire et contribuer ainsi à la formation de la boue que l'on y retrouve parfois. En principe, l'argile, en tant que telle, ne peut être véhiculée jusqu'à des organes ne communiquant pas directement avec le canal digestif. Ce sont certains de ses principes qui passent dans le sang et atteignent tous les organes. D'ailleurs, l'argile ne contribue jamais à la formation d'agglomérats résiduaires. Elle est active et ne peut stagner.

On peut donc prendre la cuillerée à café quotidienne d'argile, sans aucun risque de cette sorte. Cela sera même très favorable, étant donné toutes les observations faites jusqu'à présent.

Egalement, pour contribuer à la stimulation des échanges normaux, prendra-t-on, chaque matin, un bain de siège froid, de trois à cinq minutes. Cela devenant une habitude, très favorable à l'entretien du corps.

Peut-être certains penseront-ils qu'une ablation chirugicale de leur vésicule biliaire résoudrait plus rapidement et définitivement le problème résultant de la présence de calculs dans cet organe. C'est un point de vue assez discutable — à moins de nécessité pressante — car, enlever la vésicule est une chose, mais empêcher la formation de calculs en est une autre. Une fois la vésicule enlevée, rien n'interdit aux calculs de se reformer ailleurs ; dans le canal cystique ou le cholédoque, par exemple, où il est plus difficile d'aller les déloger.

Comme il n'est guère d'exemples qu'un harmoniste intégral ait jamais vu sa vésicule envahie par les calculs, sauf de les avoir précédemment accumulés, on peut penser que le mode de vie qui est le nôtre est toujours à conseiller, que l'on ait déjà des calculs ou que l'on n'en ait pas encore.

Pour plus de précisions, notamment à propos de l'alimentation, se reporter au petit ouvrage « De la vésicule à l'intestin » déjà mentionné.

A COTÉ DU FOIE : LE PANCRÉAS

Véritable glande salivaire abdominale, à sécrétion interne et externe, en communication avec le duodénum, le pancréas (qui mesure 16 cm x 4 en 2 x 2 cm, et pèse 70 à 80 g) est situé en avant de la colonne vertébrale, des gros vaisseaux prévertébraux et du rein gauche (jusqu'à s'approcher de la rate). Constitué pour le principal des îlots de Langerhans, il assure une sécrétion hormonale complexe jouant un rôle essentiel dans le métabolisme des glucides, le suc pancréatique étant déversé dans le duodénum, sous forme de précurseurs, au moment de la digestion. Il s'agit surtout d'enzymes (lipases, amylases, ribonucléases, phospholipases, etc.). Réciproquement, le duodénum sécrète un polypeptide stimulant la production hydroélectrolytique du pancréas. Ainsi s'ensuit-il une plus favorable utilisation des acides aminés.

Le rôle du pancréas est capital dans la sécrétion de l'insuline organique, si nécessaire à certains métabolismes que son insuffisance perturbe gravement la transformation des hydrates de carbone, bases du si inquiétant diabète.

La déficience pancréatique peut se manifester aussi par cette redoutable mucoviscidose (ce qui se traduit par un envahissement glaireux des bronches), de même qu'à des complications pulmonaires, ainsi aggravées du fait de la malnutrition, mais à l'inverse (réciproquement pourrait-on dire) une carence des fonctions pancréatiques s'étend à mesure que progresse cette maladie génétique qu'est la mucoviscidose précitée. Par ailleurs, un excès d'acidité gastrique peut inactiver des enzymes pancréatiques.

Les pancréatites sont des inflammations chroniques ou aiguës du pancréas, cela se compliquant parfois de lésions qui, en se sclérosant, peuvent engendrer une hyperconcentration de protéines, lesquelles, en se précipitant sous forme de calculs, sont susceptibles d'obstruer des canaux, ou encore de contribuer à la formation de kystes.

Le volume quotidien de la sécrétion pancréatique est de 2,5 litres environ ; elle se déverse dans le duodénum par le canal de Wirsung. Débit et composition sont sous contrôle du système nerveux et de certaines hormones d'origine digestive. Des enzymes interviennent, telle la lipase qui est capable d'hydrolyser certains triclydérides et ainsi de participer à l'utilisation correcte des graisses alimentaires.

D'origine salivaire, l'amylase agit sur les polysaccharides, tandis qu'une sécrétion bicarbonatée peut neutraliser l'acidité gastrique excessive. Il est bien évident qu'un appoint extérieur en bicarbonate isolé risque de la déséquilibrer, sans aucune perspective de régularisation.

Plus encore, peut-être, que sur d'autres organes ou devant certaines autres fonctions, l'alcool — à n'importe quelle dose — est d'une extrême nocivité pour le pancréas. Et pourtant, certains remèdes parfois prescrits en contiennent. D'autre part, il est certain que tout traitement à base d'extraits pancréatiques ne peut conduire qu'à une situation instable, peut-être moins inquiétante que la perturbation initiale, mais risquant d'engendrer l'installation dans une insuffisance organique permanente. D'ailleurs, les enzymes de complément sont inactivés par les sécrétions gastriques.

Toute intervention d'un quelconque produit de synthèse fait aussi courir le risque d'une neutralisation des îlots de Langerhans, lesquels assurent la production de l'insuline organique, nécessaire au métabolisme de certains hydrates de carbone. Si le recours à une médication artificielle peut se justifier devant l'urgence d'une situation, selon l'importance de certains blocages des sécrétions organiques, il convient par ailleurs de rechercher ce qui, dans une voie plus naturelle, peut contribuer au rétablissement des fonctions, et non conduire seulement vers une situation permanente de substitution.

Aussi bien en ce qui concerne toute perturbation ayant son origine dans le pancréas ou le foie, le cataplasme d'argile est le premier moyen à faire intervenir, sans pour autant négliger le bain de siège froid matinal, lequel donne le « coup de pouce » pour une stimulation des échanges organiques.

Par voie interne, l'argile est aussi un complément efficace très utile des autres moyens à envisager. Le premier de ceux-ci sera le fenugrec, indispensable pour la stimulation du pancréas. On le prépare à la dose d'une bonne cuillerée à soupe dans deux tasses à thé d'eau ; faire bouillir doucement jusqu'à réduction d'une tasse, puis passer sans trop attendre, le reste de l'eau pouvant ensuite être absorbé par les graines. Etant donné l'odeur parfois assez peu appréciée, il est préférable d'effectuer cette préparation le soir, cela étant pris le lendemain matin, à jeun.

Au départ du traitement, on peut envisager une cure de trois semaines par mois, pendant un trimestre. Puis, continuer à raison d'une semaine ou deux, sans limitation de durée, sauf peut-être à interrompre durant les mois très chauds, le fenugrec communiquant son odeur (pas toujours appréciée) à la transpiration.

Pour qui veut simplement favoriser un peu les fonctions d'assimilation, le fenugrec peut être pris une dizaine de jours par mois, ou encore quatre jours par semaine, en réservant les trois autres pour l'« œuf-citron » (un œuf entier dans une tasse à café ; combler de jus de citron ; laisser ainsi toute la nuit, l'œuf pouvant être ensuite utilisé en cuisine).

Selon l'évolution de l'état, des tisanes à incidence hépatique pourront se succéder, par cures de trois semaines par mois. Même dans l'incertitude au sujet de la situation exacte, elles seront toujours bienfaisantes. On commencera avec une formule assez douce, par exemple celle indiquée pour « Insuffisance hépatique » dans la nomenclature des « Tisanes composées ».

Ensuite, on peut passer à une formule un peu plus stimulante : souci, genêt, polypode, asperge, pissenlit, 10 g de chaque ; grémil, prêle, réglisse, aspérule odorante, 20 g de chaque. Mettre une ou deux cuillerées à soupe de ce mélange dans une tasse d'eau bouillante et laisser infuser. Prendre après les repas, édulcorée si possible avec du miel. Mêmes conditions de préparation et prise que pour la précédente.

Ces tisanes se prenant après les repas laissent la place libre, avant les repas, pour une cure d'argile. Mais, par la suite, l'argile pourra être déplacée (ou interrompue) et remplacée par une tisane se prenant avant le repas. Par exemple, la très efficace « Engorgement ou congestion du foie ».

En complément des cataplasmes d'argile sur le foie, ce qui englobe le pancréas, il peut être parfois utile de faire intervenir des applications chaudes, favorisant la décongestion et le drainage. Ce sera alors le cataplasme « son-feuilles de lierre » que l'on prépare avec 4 ou 5 poignées de son et deux de feuilles de lierre grimpant, sec ou frais (dans ce cas, couper les feuilles en morceaux, avec les ciseaux) ; ajouter de l'eau, puis cuire, en remuant, jusqu'à évaporation de celle-ci. Mettre dans une mousseline ou un linge très mince, puis appliquer à la température supportable. Laisser en place une heure et demie, ou plus.

Il est évident que le bain de siège froid est pratiqué chaque matin, ce qui constitue le meilleur stimulant de la plupart des fonctions, y compris celles d'assimilation.

RESPECT DE LA FLORE BACTÉRIENNE

En dehors de la présence d'une flore bactérienne convenable, il ne peut être de santé, d'équilibre dans les échanges, et même parfois, de vie. Selon M. Robert Ducluzeau, on aurait retrouvé 10^{14} bactéries dans le tractus digestif. La bouche en hébergerait 10^8, l'œsophage 10^6, le colon 10^{11}. Cette flore normale comprend, entre autres aérobies : 10^7 ; colibacilles : 10^6 ; staphilocoques : 15^5 ; champignons : 10^3 ; lactobacilles : 10 ; anaérobies : 10^{10} ; entérobactéries : 10^7 streptocoques D : 10^6 clostridum perfringens : 10^5 ; bactéroïdes : 10^9. (D'après *Tonus* n° 824). En réalité, l'homme hébergerait cent mille milliards de bactéries dans son tube digestif. Un gramme de fèces contient, en moyenne, cent milliards de bactéroïdes et cent milliards d'eubactérium ; un à dix milliards d'endosporus, de peptostreptocuccus, de bifidobactérium, de plectridium et de clostridium, auxquels on peut ajouter dix millions d'entérobactéries et un million de streptococcus et lactobacillus.

Ainsi peut-on mieux comprendre que l'on conseille de ne pas trop s'inquiéter lorsqu'une analyse révèle la présence de tels hôtes. Ceux-ci ne peuvent devenir dangereux que s'ils se mettent à proliférer anarchiquement. Mais le danger n'est pas moindre si une destruction totale est engagée avec le recours à des produits médicamenteux meurtriers. La flore qui se reconstruit ensuite — souvent assez tardivement — risque de ne pas correspondre exactement à ce qui conviendrait.

L'occupation du tube digestif survenant rapidement après la naissance, on peut alors imaginer combien il est dangereux de faire intervenir des produits destructeurs, que ce soit pour prévenir une hypothétique infestation des yeux ou des seins de la mère. On ignore encore trop souvent que le lait maternel est bactéricide intelligemment, c'est-à-dire en préservant les hôtes normaux et utiles.

Le nouveau-né est tout de suite en contact avec la flore vaginale et rectale, puis la flore mammaire et celle de l'environnement. Combien alors est-il impératif que toutes ces flores soient correctement composées et associées, et combien le milieu hospitalier, avec ses bactéries virulentes, multi-résistantes, peut constituer un danger certain.

Si donc certaines flores peuvent avoir une influence désastreuse, par contre celles prévues par la nature, dans le respect de son milieu, présentent une utilité prépondérante, qu'il s'agisse du métabolisme des nutriments (glucides, lipides, protides), de celui des liquides, des sécrétions diverses (biliaires, entre autres), des enzymes de la digestion, des virtualités d'absorption de la muqueuse.

C'est la flore bactérienne correcte qui contribue à l'élaboration de certaines vitamines (B et K, entre autres). D'autre part, et toujours entre autres, elle assure le maintien du système immunitaire sécrétatoire. Les bactéries qui la compose (1 000 espèces, environ) représentent un éco-système, l'ensemble agissant pour la recherche et le maintien de l'équilibre organique.

« Si les souches responsables de l'effet de barrière sont détruites (par exemple par ingestion d'antibiotiques), en quelques heures cette bactérie peut se multiplier pour atteindre un niveau minimal de population qui peut entraîner des manifestations pathologiques chez l'hôte.

» Les antibiotiques, quelles que soient leur classe et leurs voies d'administrations, provoquent à des degrés divers, de profondes modifications de l'écologie microbienne du tube digestif. Mais, s'ils sont parmi les grands perturbateurs de l'éco-système intestinal, ils ne sont pas les seuls. Il semble, aujourd'hui, que l'on puisse incriminer les neuroleptiques à l'origine de colites pseudomembraneuses chez les patients traités à fortes doses pendant longtemps ; les anti-inflammatoires qui agiraient au niveau de l'immunité locale intestinale et augmenteraient les translocations bactériennes (les corticoïdes auraient la même action) ; les modifications du péristaltisme intestinal tendraient à favoriser le développement ou l'implantation de souches jusqu'alors réprimées par la flore de défense. »(*Généraliste,* n° 634).

Il serait possible de mentionner tant de produits d'usage courant, tels que les dentifrices ou certaines boissons « hygiéniques » contenant trop souvent des « antiseptiques ». On ne mettra jamais assez en évidence la malfaisance de certaines réglementations inspirées par des « chasseurs de bactéries », telle celle imposant l'absence totale de bactéries dans des dentifrices à l'argile, prescrivant ainsi aux fabricants d'adjoindre des antibactériens. Combien d'années, combien de décennies seront nécessaires pour faire prévaloir des thèses plus réalistes ?

Intervenir dans ces systèmes tellement complexes et délicats peut avoir des conséquences désastreuses, ce dont on commence à convenir dans le monde médical. Aussi ne peut-on considérer les moyens utilisés par ailleurs sous le même éclairage et selon les mêmes critères que ceux présidant à la réalisation des médicaments et au contrôle de leur action.

C'est toujours l'étonnement chez celui qui, convaincu des propriétés (bactériostatiques, entre autres) de l'argile, y retrouve la présence de bactéries lors des examens de laboratoire. De même que peuvent douter de la valeur de certains autres remèdes naturels, tels le buis, le sureau ou le thym, les expérimentateurs ne relevant aucune agressivité « in-vitro » de ces agents si actifs lorsqu'ils interviennent dans l'organisme.

DOSSIER SIDA

Il arrive parfois que quelques informations paraissant ici ou là viennent rejoindre ou renforcer ce que l'on savait déjà, autant du fait de la réflexion que de l'expérimentation. Ainsi de cette communication d'un groupe médical anglais qui vient de rapporter, « in vitro une étonnante propriété des acides biliaires : celle d'inactiver le virus VIH 1 (virus du SIDA), et de détruire les cellules infectées par le virus ». *(Panorama du Médecin, n° 2842).*

Des précisions suivent : « les auteurs anglais ont démontré que l'exposltion aux acides biliaires des lignées cellulaires infectées par le VIH 1 provoquait la destruction définitive de ces cellules et une inhibition totale de la multiplication du virus ».

Voilà qui confirme la thèse harmoniste selon laquelle c'est l'organisme lui-même qui est le mieux apte à se défendre contre toutes les agressions ou proliférations de germes nocifs. A condition d'être maintenu dans des conditions les plus favorables aux réactions défensives.

Rien n'est plus efficace et propice que la défense organique naturelle, lorsque celle-ci est préservée, respectée, encouragée, puis sollicitée.

Toujours selon l'article précité, « les acides biliaires n'ont pas fini de nous surprendre. Il y a seize ans, on démontrait la possibilité de dissoudre des calculs vésiculaires cholestéroliques par l'un d'entre eux : l'acide chénodésoxycholique. Trois ans plus tard, un résultat similaire était observé avec l'acide ursodésoxycholique. Plus récemment, ce même acide se révélait très prometteur dans le traitement de la cirrhose biliaire primitive et plusieurs études contrôlées sont en cours pour tenter d'en confirmer l'efficacité et d'en préciser les indications, qui pourraient s'étendre à d'autres cholestases chroniques.

« La base de cette étonnante découverte est la suivante. Le virus VIH 1 est un virus muni d'une enveloppe, comme tous les rétrovirus connus. L'enveloppe, qui est synthétisée par la cellule infectée à partir des informations données par le génome du virus, est très sensible aux détergents, aux solvants des lipides, et, particulièrement aux acides biliaires. »

Encore convient-il que les acides biliaires soient convenables en qualité et quantité pour une action efficace contre les virus, y compris ce VIH1. Dans cette communication médicale, il s'agit d'expériences « in vitro », alors que la transposition« in vivo » suppose des sécrétions biliaires convenables, bien élaborées et suffisantes, privilège des seuls foies bien traités et stimulés.

Cette préoccupation, constituant l'essentiel du présent livre, prélude donc bien à des données médicales, lesquelles pourraient être complétées parallèlement, compte tenu de ces précisions expérimentales.

L'ARGILE, REMÈDE POLYVALENT

Essaierait-on de comprendre, expliquer ou justifier l'action de l'argile que l'on aboutirait à une impasse, aucun argument dérivant de thèses scientifiques n'y parviendrait vraiment. Aussi n'est-il que de constater, d'admettre et de profiter de ce que l'argile peut apporter en maintes circonstances.

Il est curieux qu'avec l'utilisation par voie interne, on puisse constater une « attirance » de l'argile vers les parties lésées, puis son action éliminatrice des cellules détériorées, avec participation à leur renouvellement, faits maintes fois constatés lors d'ulcérations, d'irritations ou d'inflammations du canal digestif ou des voies urinaires.

A part le risque — léger — de constipation chez certains sujets, il y a toujours intérêt à faire intervenir l'argile chaque fois que quelque chose ne va pas, ou même simplement par précaution. Non seulement la constipation ne peut ainsi être accrue que chez certains sujets, mais il arrive que pour bien d'autres c'est le transit qui est régularisé, comme d'ailleurs cela survient lorsque l'argile est utilisée en cas de relâchement, même important.

Ajoutée à de l'eau soupçonnée d'être polluée, l'argile peut la rendre propre à la consommation. A cet effet, elle est mise dans la cruche ou la carafe, l'eau étant d'abord agitée, puis laissée reposer, ce qui conduit l'argile à se déposer au fond, en position d'absorber toutes particules inquiétantes pouvant se trouver dans cette eau.

Il est par ailleurs démontré que l'argile ne fait pas que purifier le milieu où elle stationne ou transite, mais que son action rayonne favorablement sur toute l'économie. Ainsi peut-elle agir dans le meilleur sens, autant lors d'infection, d'infestation (parasitoses...)

ou de quelconque déficit. Sans doute n'apporte-t-elle pas ce qui manque, mais favorise l'assimilation de ce que contiennent les aliments. Si l'amélioration de la composition globulaire du sang ne peut être expliquée, elle est constatée avec les éventuelles analyses. Non seulement par la seule amélioration de ce qui manque, mais aussi la réduction de surcroîts. Sans doute s'agit-il d'apport de substances impondérables, de catalyseurs permettant une meilleure assimilation des composants minéraux et autres éléments utiles de l'aliment, parallèlement à la neutralisation de ce qui est inopportun.

Selon des expériences de la N.A.S.A., l'argile aurait joué un rôle important, à l'apparition de la vie sur terre, en contribuant à la concentration des acides aminés, éléments constitutifs des protéines.

Renfermant des métaux, les argiles attirent les nucléoprotéines dont l'assemblage forme les chaînes d'acide désoxyribonucléiques (A.D.N.). Aussi est-il probable qu'elles puissent intervenir dans le processus de la transformation et de l'assimilation des éléments nutritifs, donc dans les phénomènes d'entretien de la vie et de défense contre les agressions et le vieillissement.

Que la fonction d'un organe soit déficiente, en totalité ou en partie, ce n'est pas vraiment porter remède à cette anomalie que d'introduire dans l'organisme la substance non élaborée. L'argile, elle, stimule l'organe déficient et contribue au rétablissement de la fonction défaillante. Sans doute est-ce par l'intermédiaire de substances impondérables, de catalyseurs permettant l'assimilation, puis la fixation, des corps minéraux apportés par les aliments, mais que l'organisme laissait fuir auparavant. Plus, donc, que par les substances qui la composent, l'argile semble agir par sa seule présence.

A l'extérieur, il en va de même ; mais, compte tenu des aspects de ce qui est à traiter, qu'il s'agisse de mettre fin à une suppuration, de cicatriser une plaie, ou, différemment, d'agir plus en profondeur sur un endroit affecté par l'inflammation, une infection interne, des séquelles de fracture, ou tout autre incident, il faut évidemment des quantités d'argile répondant à la situation.

De même en ce qui concerne les cadences d'application, tout est conditionné par l'état du moment. Sur un abcès ou toute autre manifestation purulente, de même que sur une plaie primitivement ou secondairement infectée, les cataplasmes se succéderont, chacun d'eux étant laissé en place une heure, environ. Ensuite, une heure et demie à deux heures, pour aider à la cicatrisation.

En ce qui concerne les grandes applications (foie, intestin, rein, endroit affecté par l'arthrite, la déminéralisation des séquelles de fractures...) non seulement le cataplasme est plus important, son épaisseur pouvant atteindre deux bons centimètres, mais il est laissé en place deux heures, au moins, et même toute la nuit pour celui du soir.

Il n'y a pratiquement pas d'autres limites à la fréquence et à la durée des applications que les réactions organiques. On peut faire se succéder les cataplasmes, si cela ne provoque ni nervosité ni fatigue excessives. C'est donc l'organisme lui-même qui règle l'importance de la cadence des soins.

Si l'on peut très bien mettre deux ou trois cataplasmes à des endroits différents, cela ne concerne que ceux de peu d'importance, ce qui ne risque donc pas d'entraîner une fatigue excessive de l'organisme ou de réduire l'action curative. Par contre, quand on applique un cataplasme sur la région lombaire, la hanche, le foie, le bas-ventre, la colonne cervicale..., mieux vaut ne mettre le cataplasme qu'à un seul endroit à la fois, autant pour éviter la dispersion des réactions organiques défensives que pour ne pas aboutir à une préjudiciable fatigue.

Pourtant, il reste possible de placer un large et épais cataplasme à l'endroit le plus affecté, en même temps qu'un plus léger placé ailleurs. Ou encore, ce qui est préférable, un important cataplasme d'argile à un endroit, et des feuilles de chou à l'autre.

En perspective d'utilisation pour des applications externes, il suffit de placer l'argile concassée dans une cuvette émaillée ou un pot de céramique, puis d'ajouter de l'eau pour juste recouvrir. Quand on ne connaît pas encore comment va se passer l'opération, mieux vaut mettre un peu plus d'eau car, ensuite, on peut plus aisément ajouter de l'argile que de l'eau pour obtenir la consistance souhaitée. Celle-ci doit permettre l'adhésion correcte de l'argile à la partie du corps sur laquelle est appliqué le cataplasme. S'il s'agit d'une région sujette à l'inflammation, mieux vaut que la pâte soit moins ferme, tout en l'étant assez pour ne pas s'étendre intempestivement.

Là où il faut tonifier, reconstituer ; par exemple en cas d'ulcération interne, de consolidation de région fracturée, ou autres incidents de cet ordre, il est préférable que l'argile soit un peu plus ferme. La pâte sera franchement molle en perspective de badigeons pour soins de la peau.

De toute façon, ces modalités trouvent leur réponse avec l'expérimentation.

Il est possible, notamment en cas d'utilisation sur un endroit pileux, de placer une gaze intermédiaire, mais cela risque toujours d'atténuer un peu l'activité de l'argile. Que ce soit dans cette situation ou à l'occasion du traitement d'un ulcère ou d'une plaie, et qu'il soit pénible de retirer ce qui peut rester d'argile y adhérant, mieux vaut laisser sécher ainsi, ce qui permettra le détachement spontané de résidus, lesquels ne constituent aucun inconvénient, sinon d'esthétique ou de commodité. Si un cataplasme doit suivre immédiatement le précédent, la présence des débris de ce précédent n'est pas gênante, tout devant se retirer à l'enlèvement des suivants.

L'argile prête à l'emploi peut se conserver longtemps. Si l'on ne s'en sert pas d'une façon continue, ajouter régulièrement un peu d'eau pour la maintenir en état. Il est ainsi précieux de disposer toujours d'argile en état d'être immédiatement appliquées, pour une intervention rapide lors de tout incident ménager.

Peut-être n'est-il pas inutile d'indiquer comment préparer le cataplasme : sur un linge plié en quatre, ou encore un support de torchon cellulosique (ce qui évite de rincer le linge à chaque application), étaler l'argile avec une spatule en bois, sur deux bons centimètres d'épaisseur. Au début de l'usage, on met parfois le cataplasme à tiédir un peu, en le plaçant sur un radiateur de chauffage central, ou toute autre source de chaleur. Le plus souvent, c'est lorsque l'argile est froide qu'elle se réchauffe le plus rapidement.

Des questions sont parfois posées concernant la couleur de l'argile, ou si des craintes peuvent surgir lorsque des fils, des agrafes ou autres accessoires, sont encore présents sur certains organes. En principe, l'argile la plus efficace semble la verte, puis la grise.

La blanche est du kaolin, bon pansement interne, mais sans plus de valeur.

Pour les fils, plaques, etc., l'argile attire souvent les premiers et les extrait sans dommages ; quant à tout ce qui est fixe, cela reste normalement en place.

Toutes ces précautions, tous les détails d'emploi se révèlent à mesure que l'argile est devenue partie intégrante des conditions habituelles de vie.

JEUNER ?

Certains, s'orientant vers les méthodes naturelles, s'informent à diverses sources, acceptant parfois tous les systèmes, toutes les pratiques conseillées ici et là, les amalgamant en une synthèse qui se veut riche, mais n'est bien souvent qu'hétéroclite.

Comme il en est qui, expérimentant l'alimentation végétarienne, conservent tout de même un peu de viande « par précaution ! », d'autres pensent grouper tous les atouts en adoptant et mettant en pratique la somme de ce qu'ils on amassé en matière d'observations.

Alors se disposent-ils à expurger leur alimentation, toujours en quête de ce qu'il y aurait lieu d'éliminer, ou soit à l'inverse, soit simultanément, à consommer toutes sortes de « compléments » alimentaires, de « remontants », de « fortifiants », faisant parfois une concession à l'industrie pharmaceutique avec des dérivés du magnésium, prenant divers bains de vapeur (sèche ou humide, sauna, etc.), se livrant à des manœuvres respiratoires ou à des exercices physiques dont la complexité serait un gage de valeur, et souvent, aussi, se mettant à jeûner.

Reprenant ce qui, dans les publications harmonistes, est écrit depuis plus de trente années sur les conditions de vie plus normales, les dangers à éviter et l'orientation à prendre, on constate que ces propos n'ont rien perdu de leur actualité, quitte à adjoindre des faits nouveaux, à faire état de statistiques ou autres récentes données assurant à l'argumentation une crédibilité toujours renouvelée et intensifiée.

Il est donc exceptionnel d'avoir à reconnaître des erreurs de discernement dans la position harmoniste de départ. Ainsi pourrait-on s'étonner, après avoir constaté qu'une importante place était accordée au jeûne dans les premiers écrits, que l'enthousiasme soit progressivement tombé, au fil des années, devant ce moyen thérapeutique.

Une erreur de discernement se serait-elle introduite à la base du raisonnement, et le problème du jeûne (prolongé) aurait-il dû être abordé avec plus de prudence et seulement après une longue période d'expérimentation ?

Non seulement les principes du jeûne restent acceptables, mais encore on doit lui reconnaître de nombreux succès sur le plan physique. Pourtant, tout au long d'observations s'étendant sur ces trente années, trop d'échecs ont été constatés, suite d'imprudences, de confiance inconsciente ou de généralisation intempestive d'un moyen qui n'en est qu'un parmi toutes les autres perspectives offertes par les méthodes naturelles.

N'est-ce pas illusoire de considérer qu'il suffise de quelques semaines de privation de nourriture pour que les fonctions se rétablissent, que les excédents s'éliminent et que s'estompent les déficits.

Peut-être les écueils rencontrés sur la voie du jeûne sont-ils un peu le fait de ceux qui le préconisent en toutes circonstances, le présentant comme « le » remède unique à tous les maux, à toutes les anomalies, à tous les déséquilibres.

Il n'y aurait certainement rien à retirer aux premiers arguments de « Vivre sain » ou de « Guérir et Rajeunir » quant à la valeur du jeûne, si ce n'était que des réserves sont devenues nécessaires devant la place prise par cette technique dans les milieux proches de la vie naturelle, au détriment de tant d'autres moyens plus actifs.

Car, il faut bien le reconnaître, le jeûne est un système passif, ce que reconnaissent volontiers ceux qui l'ont expérimenté. Après coup, il est fréquent que des jeûneurs prennent conscience que cette passivité les incitait à demeurer ainsi, sans manger ni rien faire d'autre, et qu'il leur a fallu un effort, autant pour reprendre l'alimentation que pour rejoindre la vie active. Cela risque de devenir ensuite comme une drogue mentale, avec assujetissement et envie presque incoercible de renouveler l'expérience.

Autant le jeûne est justifié quand survient un incident de santé, surtout avec élévation de la température (d'ailleurs, l'envie de s'alimenter disparaît, même chez les enfants, et ainsi n'est-il aucune violence en les faisant jeûner), autant il peut constituer une situation agressive lorsqu'il est décidé délibérément en dehors de toute crise morbide aiguë et se poursuit durant des jours, et parfois des semaines.

Ceux qui ont assez approché Gandhi assuraient que le Mahathma considérait comme une violence injustifiée, imposée à l'organisme, tout jeûne n'étant pas dédié à une œuvre de vie. Ainsi se justifie le seul jeûne prolongé entrepris en signe de protestation contre toute iniquité, toute injustice, encore que la répétition trop fréquente de ce comportement lui ait retiré beaucoup de sa valeur initiale.

D'ailleurs, pour en revenir au jeûne, mesure d'hygiène, lorsque celui-ci est tout simplement imposé par une réaction organique — et non décidé par conviction —, il n'est pas de précautions spéciales à envisager, ni au départ, ni à la reprise alimentaire, les conditions de celle-ci étant tout naturellement dictées par les besoins, les « envies » ; tandis que le jeûne délibéré et prolongé nécessite d'infinies précautions de démarrage, de conduite et de rupture.

Il en va tout autrement avec les jeûnes courts (de un à trois jours), lesquels peuvent se pratiquer n'importe quand et sans mesures particulières à envisager. Que ce soit par suite d'observations, nombreuses, répétées, ou en considération des conditions d'une vie familiale ou professionnelle normale, harmonieuse, l'intérêt du jeûne ressort pour ces expériences courtes, allant de un à trois jours. Qu'il s'agisse de jeûne total ou partiel avec jus de fruits ou de légumes.

Il ne faudrait tout de même pas déduire de ces observations que le jeûne prolongé soit à exclure totalement et définitivement des méthodes naturelles, alors qu'il peut être bien justifié dans certaines situations particulièrement préoccupantes, parfois sans solution avec seulement les autres pratiques et remèdes naturels.

Sans trop insister sur les surcroîts de poids ou de volume qui peuvent être atténués par un jeûne long (encore que kilos et embonpoint se retrouvent souvent dans les mois qui suivent), des états peuvent être améliorés consécutivement au choc provoqué par la cessation délibérée de nourriture. On peut évoquer ainsi les arthrites et arthroses importantes, des allergies particulièrement pénibles, des diabètes gras, certaines paralysies et autres troubles de l'appareil locomoteur. Toutefois, ces jeûnes, devenant une pratique médicale, ne peuvent être entrepris sans surveillance constante.

Il serait injuste de reprocher aux partisans du jeûne ses insuffisances, aucun moyen thérapeutique ne pouvant assurer une guérison absolue, et il serait également illusoire de supposer que la somme des erreurs de tant d'années — et même de générations — puisse être effacée par trois ou quatre semaines de « silence » digestif.

D'ailleurs, d'assez nombreuses difficultés (digestives ou autres) que l'on envisageait de surmonter par le moyen du jeûne, et qui, souvent, s'étaient estompées le temps de l'expérience, reviennent non moins souvent avec la reprise alimentaire. Ils sont malheureusement nombreux ceux qui, se trouvant bien à ne pas manger, arrivent à un état d'anorexie mentale, conditionnés qu'ils sont devenus par les satisfactions ressenties en cours de jeûne. Pour l'esprit même, ces pratiques ne sont donc pas sans inconvénients.

Les « inconditionnels » du jeûne se comportent assez souvent comme s'ils étaient seuls au monde, leurs « problèmes » primant tout.

Déjà, commettent-ils une erreur fondamentale, l'équilibre ne pouvant être cherché... et trouvé, non dans une intériorisation toujours plus intense — et inévitablement fausse du fait de cette optique fragmentaire — mais dans l'extériorisation et l'incorporation dans une intégralité humaine (et divine selon les convictions).

Revenant au seul aspect physique, on reconnaîtra qu'il est plus facile de jeûner que d'entreprendre un traitement avec bain de siège, tisanes, argile en usages interne et externe, etc., donc attitude positive requérant une grande volonté d'effort et de persévérance, cela ne se limitant pas à une inactivité de trois ou quatre semaines, mais s'étendant sur des mois, voire des années d'efforts.

Quoi qu'il en soit, il n'y aurait pas trop d'inconvénients à ce que des déboires d'ordre médical ou des difficultés particulières à certaines situations pouvant paraître insolubles conduisent les intéressés vers la pratique du jeûne ; mais où cela peut prendre une tournure dramatique est quand il s'agit, entre autres, de femmes enceintes ou en période d'allaitement. Comme, de plus, cette orientation vers le jeûne peut comporter l'adoption de systèmes alimentaires restrictifs excluant tout dérivé animal (œufs, fromage, etc.), des conséquences absolument déplorables, avec parfois des anomalies irréversibles, ont été constatées trop souvent pour que personne ne puisse douter que ces voies sont dangereuses pour la mère et pour l'enfant.

Des partisans inconditionnels du jeûne ne manqueront pas d'évoquer quelques réussites de naissances normales, omettant des cas infiniment plus nombreux où des situations lamentables se sont révélées. Et il n'en manque malheureusement pas, avec aggravation lorsque des parents fanatiques du jeûne n'hésitent pas à vouloir le faire pratiquer par de jeunes enfants, voire des bébés ! Comme, dans ces familles, le végétarisme a généralement été adopté, c'est ce système (jugé sans nuances) qui est alors rendu responsable des anomalies constatées.

Quand un médecin se trouve devant un enfant dénutri, carencé, déminéralisé (et parfois avec de véritables fontes osseuses, comme cela fut constaté), il ne tente pas de discerner entre les différentes accommodations du végétarisme, les condamnant toutes.

Il faut être bien audacieux pour prétendre qu'afin de subvenir à ses besoins les plus impérieux, les plus pressants, l'organisme ne puise que dans les réserves et les excédents. Qui pourrait assurer que lorsque ces réserves sont épuisées, la recherche d'une source d'énergie ne conduise pas à l'atteinte des tissus nobles ? Qui pourrait affirmer que les besoins énergétiques sont couverts par l'utilisation des seuls déchets ? Trop d'inconnues subsistent donc, les assurances données ne reposant pas toujours sur des preuves évidentes.

Il faut bien admettre que le jeûne ne conduit pas qu'à l'élimination des tissus excédentaires ou atrophiques. Ce sont certainement ceux qui sont les premiers et les plus touchés par la cure privative, mais n'importe quelle cellule ne trouvant plus les éléments de son renouvellement peut périr. Trop de subtilité serait indispensable pour déterminer le moment précis où les réserves et les excédents étant évacués ou neutralisés, il importerait de reprendre l'alimentation.

Par ailleurs, le surcroît n'est pas le « privilège » du sujet gras, un maigre pouvant en présenter, nonobstant les apparences ; mais le jeûne est alors plus délicat à mener, aucun élément visible ne permettant d'en discerner l'influence.

Entrepris dans la seule perspective de perdre de l'embonpoint le jeûne peut se révéler pire que l'inconvénient auquel on envisage ainsi de remédier, les réserves graisseuses se reconstituant souvent dans les mois qui suivent, alors que la fonte musculaire risque de devenir définitive.

Le plus généralement, dans la situation courante, ceux qui ne se sentent pas bien, qui ne sont pas en bon état, qui présentent certaines anomalies, envisagent d'abord de recourir à des remèdes ou des aliments « fortifiants ».

Pourtant, en mangeant trop ou trop concentré, c'est la voie ouverte au gaspillage énergétique. A l'opposé, dans les milieux proches de la vie plus naturelle, la tendance est trop systématiquement orientée vers la recherche de ce qui serait éventuellement à supprimer, allant toujours dans le sens des « éliminations » à trouver ou à encourager avec méconnaissance des déficits et carences. Ainsi peut-on remarquer un sujet trop maigre parce que certains de ses organes sont encombrés de déchets, et un obèse qui est ainsi du fait d'un quelconque déficit, suffisant pour entraver le cours normal des fonctions, y compris celles de désassimilation et d'élimination.

La seule privation de nourriture, donc d'apport énergétique, plastique ou vitalisant, ne saurait résoudre tous les problèmes et peut même parfois les compliquer, notamment lorsqu'il s'ensuit un amaigrissement brutal engendrant des ptôses de divers organes par suite de fonte musculaire.

Il ne serait pas convenable de traiter d'un sujet, en l'occurrence le jeûne, sans en révéler les inconvénients, les éventuels intéressés devant prendre leur décision en possession de tous les éléments de discernement.

DES CARENCES, COMMENT ET POURQUOI

Jamais il semble que l'on ait tant mangé, et jamais on ne semble avoir présenté tant de carences. C'est du moins ce qui paraît ressortir de cette profusion de publicités pour toutes sortes de produits de complément remplaçant ceux dont le défaut serait patent.

Qu'il s'agisse de vitamines, d'oligo-éléments et autres produits minéraux dont a besoin l'organisme, c'est insensé ce qu'il peut en manquer. On frémit rétrospectivement à ce que cela devait être avant cette période de si grande abondance alimentaire.

Chose encore plus curieuse, certains seraient trop corpulents, justement en raison de certains déficits. Non seulement, il ne leur faut rien réduire à leur alimentation, mais au contraire y ajouter.

Le plus inquiétant, dans une telle situation, c'est qu'elle semble correspondre à une certaine réalité. On connaît l'antienne, que nos contemporains ne prennent pas un petit déjeuner assez copieux, ce qui se traduit par des malaises survenant vers 11 heures du matin, cela étant dû, paraît-il, à une chute du glucose sanguin.

Alors est-il permis de s'étonner que ceux dont la consommation de sucre « rapide » est extrêmement limitée, ne soient pas sujets à ce genre de malaise. Mieux, même, certains, qui ne prennent pas de petit déjeuner ou se contentent d'une infusion ou d'un fruit, passent très bien ce cap des 11 heures, et parfois même celui de midi, si les occupations conduisent à sauter ce repas.

Pourtant, il ne semble pas qu'avec l'alimentation « réformée », on puisse absorber autant d'éléments prétendus nutritifs que c'est le cas pour le consommateur courant, gavé de viande, de graisses et autres produits considérés comme nutritifs, sinon essentiels.

Pourquoi, non plus les végétariens conscients ne présentent-ils pas toutes les carences justifiant le recours à tant de produits de complément, quand ce n'est pas à des médicaments ?

Comment donc est-il possible que tellement de gens surnutris en soient à ce point réduits à manquer de tellement de choses ? Et comment justifier que soient sujets à des chutes de certaines substances d'origine alimentaire des personnes ayant une table trop garnie ?

Déjà, « trop » garnie n'est pas toujours synonyme de « bien », garnie. Ensuite, même si cette abondance alimentaire conduit à l'apport de tout ce qui est nécessaire à l'entretien de la vie, il est une constatation à ne pas négliger, c'est que l'organisme se conduit comme les gens. Si les périodes de restrictions le conduisent à faire des réserves d'éléments nutritifs, la trop grande abondance alimentaire met un terme à cette fonction prévisionnelle. Tout est alors utilisé au rythme des introductions.

Il n'est pas nécessaire que l'alimentation soit trop réduite pour que se rétablisse une économie organique convenable, mais les surcroîts doivent être aussi réduits que possible.

Aucune confusion ne semble être faite par l'organisme, entre ce qui est assimilable et ce qui doit servir de « ballast » pour aider à l'évacuation des excédents et de tout ce qui peut devenir nocif.

L'équilibre entre l'assimilation de ce qui est immédiatement utilisable et de ce qui peut être stocké en prévision des besoins successifs se réalise très bien lorsque l'alimentation est cohérente. C'est-à-dire qu'elle assure les apports convenables sans provoquer d'encombrements.

Par ailleurs, le fait est avéré qu'un corps peut être transmuté, un lipide ou un protide pouvant devenir glucide, et vice-versa. Mais, là encore, ces modifications ne se passent que dans le cadre d'un système alimentaire cohérent, donc assurant les apports nécessaires, sans rien de nocif ou d'excédentaire.

Il est notoire que l'alimentation des gens de notre époque, même de ceux qui mangent trop ou mal, suffit à l'approvisionnement en tout ce qui est nécessaire à la réfection et à la production d'énergie. Les carences sont donc le fait de dysfonctions engendrées par les surcroîts et les aliments inopportuns.

On doit aussi tenir compte de possibles déficiences organiques s'opposant au métabolisme de certains éléments nutritifs. Et l'on en arrive alors à des situations incohérentes, telle la recherche d'apports alimentaires de complément, tandis que l'organe susceptible de les utiliser est déjà surmené. Ainsi peut se trouver éliminé en excès, par un foie déficient, tout apport de fer, qu'il soit normal ou complémentaire !

Le premier remède à n'importe quelle carence est donc la stimulation des organes et fonctions d'assimilation, à commencer évidemment par le foie. Le recours à des plantes, tel le fenugrec, ou à quelque tisane composée, comme il est indiqué dans la première partie, suffit le plus souvent, avec l'insistance sur certains groupes d'aliments. Ce qui suit sera une bonne aide à leur identification, de même qu'au discernement dans le comportement.

OLIGO-ÉLÉMENTS.— Lorsqu'une situation reconnue de carence est susceptible d'être attribuée au déficit d'un certain corps minéral, d'une éventuelle vitamine, on peut évidemment en espérer le redressement grâce à une action menée en direction du foie (tisanes, cataplasmes d'argile, etc.), ce qui n'exclut pas la recherche, dans les aliments, de ce corps déficitaire, selon la nomenclature (sommaire) qui suit.

Certains corps minéraux sont surtout connus comme « oligo-éléments », du fait que c'est souvent en quantité infime que leur présence est nécessaire à l'accomplissement de certains phénomènes vitaux. Il peut suffire d'un très minime apport pour voir se rétablir un équilibre jusque-là perturbé.

Si l'alimentation correcte pourvoit largement à la satisfaction de tous les besoins, une perturbation peut survenir qui entraîne un déficit, peut-être moins d'apport que d'utilisation. Rien ne s'oppose à ce que soient recherchés les aliments ou groupes d'aliments les plus propices à modifier la situation. Cette attitude est d'autant plus justifiée qu'aucun surcroît ayant une telle origine ne peut avoir une influence défavorable, comme cela survient assez fréquemment devant des corps isolés, ainsi devenus des médicaments, avec tout ce que cela peut laisser supposer de contrepartie inquiétante.

Les principaux éléments connus sont le FER, le CUIVRE, le FLUOR et l'IODE, auxquels on peut ajouter le ZINC, le MANGANÈSE, le CHROME, le NICKEL, le COBALT, le SOUFRE, l'OR et l'ARGENT, toutes choses se trouvant en suffisance dans une alimentation cohérente.

Si un quelconque déficit pouvait être détecté, ou seulement soupçonné, il serait relativement facile d'insister un peu plus sur les aliments susceptibles d'accroître l'apport de la substance supposée déficiaire.

Le FER a toujours été un symbole de robustesse (santé de fer, poigne de fer, volonté de fer...). C'est d'ailleurs réellement un antianémique, sans doute du fait qu'il se trouve être un des principaux constituants des globules rouges.

Même dans les pays à haut niveau de vie, donc à nourriture réputée suffisante, et souvent même excédentaire, on relève fréquemment ce genre de carences chez les femmes enceintes. Mais, même en dehors de cette situation de grossesse, des carences en fer sont relevées plus fréquemment chez les femmes que chez les hommes, surtout avec le cas de règles importantes.

De toute évidence, les bébés supportent les répercussions de ces carences et en présentent eux-mêmes, plus encore s'ils sont élevés avec un lait non supplémenté en fer. Avec le lait maternel, l'incident serait moins fréquent. Le fer isolé administré aux bébés présentant une « carence martiale » ne rétablit qu'un semblant d'équilibre, avec le risque de voir l'organisme se libérer, à la fois, du fer intrus et de celui d'origine organique.

On le sait, pris isolément, le fer, comme d'ailleurs d'autres corps minéraux, vitamines ou ferments, est très mal absorbé et ne saurait remplacer celui des aliments. Sans doute parce qu'il n'est pas associé à ce qui est nécessaire à son métabolisme. C'est le foie, qui, par ailleurs, régularise sa teneur dans les globules sanguins et, si l'estomac ne sécrète pas assez d'acide chlorhydrique, le fer n'est pas bien assimilé. Le fer sérique est lié à une protéine porteuse, la sidérophiline ou tranferrine. La ferritine et l'hémosidérine sont deux formes de stockage du fer. Ces précisions démontrent que le problème n'est pas si facile à résoudre, lors d'une carence en fer, et que cela ne peut être résolu que dans le cadre d'une action d'ensemble, privilégiant les apports en aliments bien pourvus en fer, tandis que des mesures sont envisagées pour agir sur les fonctions organiques.

Des aliments sont réputés pour leur richesse en fer : lentilles, abricot, épinard, pain (complet), pomme, et aussi cresson, carotte, avoine, de même que la plupart des végétaux. Ce qu'il importe surtout de savoir avec ceux-ci, c'est que leur fer est mieux assimilé encore en présence de protéines animales, ce qui peut être aisément assuré avec celles des œufs et du fromage, encore que cela puisse se faire par autophagie, avec la desquamation continue des parois internes de l'intestin.

Le CUIVRE est un utile complément du fer, pour assurer son métabolisme. Il intervient comme catalyseur lors de la transformation du fer en hémoglobine. Contribuant à la fixation de l'oxygène et à la constitution du sang, c'est un anti-anémique, tout comme le fer. Tandis que ce dernier est un constituant de l'hémoglobine, le cuivre en est un des hématies.

On le trouve dans d'assez nombreux végétaux, tels le blé, l'amande, la noisette, la noix, l'asperge, le maïs, l'oignon, le poireau, etc., mais aussi dans les œufs.

Le FLUOR est surtout connu pour son effet anticarie, mais encore il participe à la formation et à l'entretien de la partie extérieure des os et tendons.

Avec le vanadium, le silicium et l'étain, le fluor contribue à la croissance cellulaire, surtout celle des muscles.

Bien des végétaux en renferment, tels le blé complet, l'orge, le riz, l'asperge, l'abricot, la tomate, le raisin, la pomme de terre, le radis.

L'IODE est surtout connu en raison des dysfonctionnements thyroïdiens que peut engendrer sa carence. Il exerce une action importante sur la sécrétion en hormones de la thyroïde. Cela ne saurait faire omettre son rôle utile sur les ganglions lymphatiques, lesquels participent aux défenses immunitaires. On se doit de mentionner aussi l'action sur la croissance et le développement mental.

Si l'on trouve surtout l'iode dans les algues marines (comestibles et artisanes) et aussi dans l'eau de mer, il est présent dans le cresson, l'ail, le haricot vert, l'oignon, l'épinard, le navet, l'asperge, le chou et bien d'autres végétaux, de même que dans l'œuf.

La déficience en ZINC peut se manifester par une diminution de la perception des odeurs et des saveurs. Ce corps contribue à la formation des cellules leucocytes et hématies du sang, de même qu'il exerce une bonne stimulation de l'hypophyse. Réduisant par ailleurs l'inflammation synoviale des rhumatisants, le zinc est d'autant plus utile à mesure que l'on prend de l'âge, du fait qu'il stimule la fonction immunitaire chez les personnes âgées et que son effondrement précède la dégénérescence néoplasique de la prostate.

On le trouve surtout dans la betterave (rouge), l'orge, le maïs, le chou, la laitue, le champignon de couche, la tomate, la carotte, la pêche, l'épinard, l'orange et l'œuf.

Avec le fer, le cuivre, le zinc, le cobalt, le molybdène, le calcium et le magnésium, le MANGANÈSE exerce une action de première importance sur le métabolisme, surtout celui des phosphates, ce qui en permet une meilleure utilisation. Il est nécessaire aussi au fonctionnement de l'hypophyse et agit favorablement sur le foie, le système osseux, les ligaments, la peau, les reins. Il combat utilement le risque d'état infectieux chronique.

On trouve le manganèse dans l'asperge, le blé, les noix, l'orge, le riz, l'épinard, la betterave et bien d'autres végétaux. Egalement dans l'œuf.

Comme le vanadium, le zinc et le manganèse, on sait que le CHROME protège le cœur et qu'il active la production d'insuline, s'opposant ainsi au diabète, mais les recherches ne semblent guère avoir été poussées à son sujet. Corps simple appartenant au groupe du fer et possédant un grand nombre de ses propriétés, on doit donc le trouver où normalement se trouve le fer.

Faute de NICKEL, une plante peut jaunir, avec accumulation d'urée. A ce propos, on ne peut manquer de constater que l'assurance semble parfois acquise d'être à l'abri de produits toxiques, alors que leur survenue peut se produire spontanément lors de certaines carences.

Par ailleurs, un danger peut aller en s'atténuant dans certaines circonstances. Ainsi, devant celui précédemment évoqué, et dont les humains ne sont pas toujours à l'abri, il est un élément rassurant, l'élaboration, par un organisme en bon état, d'un enzyme, l'uréase, qui peut intervenir efficacement. Actif catalyseur dans diverses opérations de transformation et d'assimilation, le nickel est de plus un bon stimulant du pancréas.

L'apport suffisant est assuré avec la consommation de chou, épinard, laitue, figue, sarrasin, poire, prune, abricot, cerise, blé complet, haricots en grains frais et encore quelques légumes et céréales.

Comme d'ailleurs cela se produit avec le cuivre, l'insuffisance d'apports en COBALT peut entraîner une chute du taux d'hémoglobine et se trouver ainsi à l'origine de certaines anémies.

Sans doute, ce terme de cobalt est-il inquiétant du fait d'un rapprochement d'idées avec le cobalt 60, son radio-isotope. Pourtant, le cobalt simple ne présente pas les mêmes dangers de radioactivité. Du fait de ses propriétés, il se rapproche du fer et du nickel, mais ses sources d'approvisionnement seraient plutôt les mêmes que pour le soufre, dont il va être question.

Entrant dans la constitution du tissu osseux, des tendons, des dents, tout en favorisant le métabolisme du calcium, le SOUFRE joue un rôle des plus importants en cas d'infection.

C'est surtout dans l'ail et l'oignon que l'on peut se le procurer, mais dans le poireau, le cresson, le radis et l'œuf, sa présence n'est pas superflue. Bien d'autres végétaux en contiennent, en quantités moindres, mais non négligeables, ainsi qu'il en est fait mention dans un autre ouvrage, « Le Second Souffle ».

On en terminera avec les oligo-aliments par la mention de l'or et de l'argent, bien que l'intérêt qu'ils puissent susciter soit assez rarement d'ordre alimentaire.

Antiseptique et antirhumatismal, l'OR se trouve surtout dans l'eau de mer et quelques plantes marines, tandis que l'ARGENT, dont on reconnaît les propriétés antiseptiques et astringentes, se situe dans certains champignons.

LES AUTRES CORPS MINÉRAUX

En dehors ou en complément des oligo-éléments ainsi mentionnés, viennent d'autres corps, moins connus, autant pour ce qui concerne leurs propriétés que leurs sources d'approvisionnement. Ainsi est identifié le MOLYBDÈNE, lequel jouerait un rôle important dans la nutrition des plantes, tandis que l'on aurait décelé sa présence dans le cerveau humain. Il se trouve dans l'eau de mer, des algues et d'autres végétaux.

Bien que l'on sache qu'il existe dans l'organisme humain, il est assez peu de précisions sur le rôle physiologique de l'ÉTAIN et sa localisation.

Présentant beaucoup d'analogies avec le phosphore, le VANADIUM contribuerait à la croissance cellulaire. Ses sources d'approvisionnement sont les mêmes que celles du phosphore, qui sera mentionné plus loin.

Si l'on n'est pas très informé sur le rôle joué par le SÉLÉNIUM, son action commence à être discernée en ce qui concerne la protection contre certaines formes de cancer, tandis que, comme le cuivre et le cobalt, il contribuerait à surmonter diverses anémies.

Se trouvant surtout dans le fourrage, c'est par l'intermédiaire des laitages qu'il parvient jusqu'à l'être humain.

Après cette nomenclature par ordre d'importance supposée des oligo-éléments et assimilés, il est possible de continuer les remarques sur les autres corps minéraux, selon la progression alphabétique.

On se retrouve ainsi devant l'ARSENIC, dont l'évocation peut être inquiétante du fait du rôle lui étant attribué dans certaines grandes affaires d'empoisonnement. Heureusement, comme pour le cobalt ou beaucoup d'autres corps, l'arsenic peut être plus à l'origine du meilleur que du pire. Si, isolé, et à partir d'une certaine dose, il peut se révéler toxique, par contre, lorsqu'il est associé à d'autres composants, dans certains végétaux, il contribue à la formation des cellules leucocytes et hématies du sang, jouant un rôle important dans le métabolisme.

Contribuant à l'équilibre nerveux, s'opposant à l'excitation et donnant ainsi une meilleure qualité au sommeil, le BROME se trouve dans la pomme, le melon, les champignons, l'asperge, l'artichaut, la tomate, le radis, la fraise, le chou et encore d'autres végétaux.

Le rôle du CALCIUM est assez bien connu pour qu'il ne soit pas nécessaire de s'étendre trop. Non seulement, il est indispensable à la constitution et au renouvellement du tissu osseux, mais c'est encore un élément essentiel de la cellule nerveuse. Ceux en ayant fait l'expérience ont ainsi été à même de constater combien survenait vite une amélioration, lors de certains troubles nerveux, après le recours à la préparation « œuf-citron ».

Ce qu'il faut préciser, à ce sujet, c'est qu'il ne s'agit pas d'un simple apport de calcium, mais d'un complexe stimulant les fonctions organiques intéressées. Ainsi n'est-il pas à craindre, que, comme cela se produit avec la prescription de calcium isolé, se manifeste une entrave à l'absorption intestinale des phosphates, avec risque de diminution du taux de phosphore sanguin (dans le fromage, par exemple, calcium et phosphore sont associés, de même que dans certains végétaux).

La plupart de ces derniers contiennent du calcium, mais surtout navet, carotte, chou, blé (et encore plus s'il est germé), avoine, épinard, fraise, noix, poireau, pois et haricots nouveaux, noisette, amande, raisin, lentilles. L'œuf et les laitages participent à l'apport.

Contribuant à la constitution et à l'entretien des os, dents et tendons, le CHLORE est présent surtout dans les dattes, les céréales, le fromage, l'œuf, les noisettes, les haricots verts, les noix et amandes.

Le MAGNÉSIUM jouit d'une telle renommée que nombreux sont ceux qui en font usage sous forme isolée, en arrivant à avoir le milieu intestinal tout délabré. Aussi, jamais n'insistera-t-on suffisamment sur la distinction à faire entre le magnésium présent dans le milieu naturel et celui émanant des laboratoires.

Cette insistance doit aussi se prolonger en direction du problème des harmonies et des antagonismes. Quand, par exemple, magnésium et calcium sont parties intégrantes du même végétal, cette association est heureuse, toujours favorable. Mais, que ces deux corps, d'abord isolés en laboratoire, soient ensuite prescrits conjointement, et c'est l'antagonisme qui apparaît, chacun contrariant le rôle éventuellement utile de l'autre.

Mieux (ou pire ?), même l'introduction dans l'organisme de l'un de ces deux minéraux sous forme isolée, donc d'origine médicamenteuse, va nuire à la bonne utilisation de l'autre, apporté par l'alimentation. C'est donc bien toujours jouer à l'apprenti sorcier que de recourir à ces éléments séparés, alors qu'il est si facile de les trouver dans les aliments normaux, à une dose et en association convenables.

S'il arrive que, malgré ces précautions et alors que l'alimentation est correctement conçue, surviennent des carences — ou divers incidents les laissant suspecter — ce n'est pas toujours par défaut d'apport, mais plutôt consécutivement à la déficience de quelques fonctions régularisant l'assimilation.

Devant une telle éventualité, il conviendra d'intervenir sur ce métabolisme déficient en stimulant le foie (toujours ce maître d'œuvre !) et le processus digestif, avec tisanes, argile et autres moyens naturels. Peut-être aussi, parallèlement, a-t-on intérêt à rechercher les aliments et groupes d'aliments les plus propices à combler les supposées carences. Agissant ainsi, on ne risque jamais d'aboutir à une situation de surcroît et d'obstruction.

Le magnésium, pour en revenir à cet élément si apprécié, se trouve en assez grande abondance dans les dattes (les dattiers croissent bien si l'eau d'irrigation est magnésienne), la betterave rouge (associé au rubidium, corps rare, lequel se trouve aussi dans l'eau de mer et dont les propriétés s'apparenteraient à celles du potassium), l'épinard, l'avoine, le blé, l'œuf (avec du phosphore !), la pomme de terre, la carotte, l'amande, la noix, la noisette, le maïs, l'orge, la châtaigne, le haricot vert, le riz, les cerises, l'orange, les lentilles, l'artichaut, le pois vert, le poireau, le raisin sec, la noix de cajou, la bette, la poire, la pêche, l'abricot, et aussi, bien sûr, l'eau de mer.

On voit donc que les sources sont nombreuses (indiquées par ordre d'importance) et qu'il faut vraiment des circonstances exceptionnelles pour déboucher sur un déficit.

Seulement, ce que ne fait pas le magnésium puisé dans son milieu naturel, biologique, c'est de donner ce « coup de pouce » que certains attendent, imaginant qu'il s'agit là d'une action favorable, alors que cela ne conduit, le plus souvent, qu'à passer d'un déséquilibre à un autre.

Bien qu'assez peu souvent évoqué, le NITRE n'en est pas moins utile pour favoriser le drainage des voies rénales, et entretenir ainsi la salubrité humorale, en contribuant à l'élimination de certains produits de désassimilation, tels les urates et oxalates.

Le nitre est normalement présent dans l'asperge, l'oignon, le navet, la carotte, le poireau, l'ail, la pomme de terre, le céleri.

S'il n'avait pas été d'abord fait mention des oligo-éléments, puis de la nomenclature des autres sels minéraux selon l'ordre alphabétique, le PHOSPHORE aurait pu figurer dans le peloton de tête, étant donné le rôle important qui est le sien, en maintes circonstances.

A une époque où le système nerveux est souvent si malmené et perturbé, l'influence du phosphore est primordiale, on se doit de ne négliger aucune des sources d'approvisionnement. Dans les préoccupations de bien des sujets se sentant un tant soit peu déficients, il est étonnant que l'attention soit polarisée en direction du magnésium, alors que l'influence négative d'une carence en phosphore puisse avoir une tout autre importance. Cela tient sans doute à ce que sa prescription sous forme isolée n'est pas exempte de danger. Il en va ainsi de certains corps (tel le sel de cuisine, composé de deux produits toxiques quand ils sont isolés : chlore et sodium) pouvant être dangereux lorsqu'ils ne sont plus associés à leurs commensaux, tandis qu'ils sont inoffensifs et souvent utiles dans leur milieu initial.

S'il est l'élément de la cellule nerveuse, et qu'il est donc indispensable au maintien de l'équilibre dans ce domaine des nerfs, le phosphore participe également à la formation des os et à l'harmonisation de la calcémie.

On remarquera, tout au long de la présente nomenclature, que certains aliments contiennent, à la fois, calcium, magnésium et phosphore, ce qui leur confère une importance toute particulière.

Le phosphore, lui, se trouve surtout dans l'amande, le blé (s'il est germé, c'est encore mieux), l'œuf, le raisin (avec ses pépins), l'ail, l'avoine, l'orge, le pois nouveau, et aussi le maïs, le haricot en grains frais, les lentilles, certains fromages, le chou, l'épinard, l'oignon, la laitue et encore bien d'autres végétaux.

Avec l'aide complémentaire du RUBIDIUM, autre élément radio-actif particulièrement utile aux anémiés et déminéralisés, se trouvant le plus souvent dans l'eau de mer et la bettrave rouge, le POTASSIUM joue un rôle non négligeable dans la formation des cellules du sang, tout en contribuant à la nutrition des muscles et de certaines glandes.

En médecine, devant une hypokaliémie (diminution du taux de potassium dans le sang) induite par un traitement diurétique ou une corticothérapie, on conseille une alimentation riche en potassium, donc comportant surtout : bananes, abricots secs, dattes, auxquels on peut ajouter l'œuf et le blé (germe et albumen), la noisette et la pomme de terre.

Du fait de la présence assez abondante de SILICIUM dans les agrumes, ceux-ci assurent une action protectrice sur la paroi aortique, la protégeant contre l'athérosclérose, réduisant ainsi la morbidité coronarienne.

D'autre part, contribuant à la calcémie, le silicium se combine avec le calcium, entretenant bien les os et les revêtements des artères, tout en maintenant l'élasticité de ces dernières.

C'est surtout dans l'enveloppe des céréales et des fruits (d'où l'intérêt de ne pas trop bluter ou peler), l'ail, la pomme, les haricots et pois (en grains frais, surtout), le chou-fleur, la ciboule, l'échalote, la fraise que se trouve le silicium.

Participant aux phénomènes de la digestion et aussi à la constitution de certains liquides organiques, le SODIUM se trouve dans le blé, le haricot vert, la châtaigne, l'œuf, l'avoine, la datte, le fromage, le maïs, l'abricot, l'orge, le riz.

Si les éléments essentiels de la vie sont l'hydrogène, le carbone, l'azote, l'oxygène et le soufre, il faut aussi, en quantité moindre, du sodium, du magnésium, du phosphore, du chlore, du potassium, du calcium. Et encore : silicium, vanadium, chrome, manganèse, fer, nickel, cuivre, zinc, arsenic, molybdène, iode... Ce qui confère au problème des approvisionnements et, éventuellement, des complémentations, une dimension telle que l'on ne voit pas quel cerveau, ou même quel ordinateur, pourrait apporter des indications finalement satisfaisantes.

L'aliment doit donc apporter normalement ces éléments, tandis que, correctement entretenu dans l'intégralité de ses fonctions, l'organisme assurera les réactions biochimiques permettant d'opérer la synthèse de ses molécules actives.

Il en ira de même pour tout ce que transporte et peut libérer l'aliment « vivant », que ce soit les éléments précités, les vitamines ou bien d'autres composants ou facteurs, même ceux existant seulement à l'état de traces, donc plus supposés qu'identifiés.

ACIDES AMINÉS.— Si, avec les oligo-éléments, des quantités infimes de certains d'entre eux suffisent pour assurer l'équilibre et l'approvisionnement, en ce qui concerne les acides aminés, la situation est encore plus complexe, de simples « traces » pouvant suffire à satisfaire les besoins et à régulariser les échanges.

Autant pour ce qui concerne les uns que ce qui peut se rapporter aux autres, il faudrait disposer d'un grand pouvoir de divination pour discerner les manques et comment y remédier autrement que par un soin accru dans le choix et la variété des aliments convenables.

Il semble nécessaire, au passage, de rappeler que bien des notions concernant les acides aminés, comme d'ailleurs certains autres composants alimentaires, ne reposent sur aucune base réellement sérieuse. Ainsi ressasse-t-on que les protéines de la viande seraient les plus riches en acides aminés, alors qu'il en va tout autrement, les protéines du soja, de l'œuf, des céréales, du fromage ou des légumes secs pouvant assurer dans les meilleurs proportions et avec les plus utiles accompagnements, ce qui est indispensable en acides aminés essentiels.

D'autre part, du fait de sa plus grande variété, l'alimentation à base végétale est bien plus en mesure que celle comprenant de la chair animale, de répondre à tous les besoins. Cela peut d'ailleurs se comprendre aisément, l'organisme animal ayant dû assez largement puiser dans les réserves pour qu'il en résulte un manque en certaines substances lorsque l'animal est abattu, et plus encore lorsque sa chair est livrée à la consommation.

Reste maintenant à faire un tour d'horizon parmi les acides aminés, autant pour en rappeler le rôle que l'origine. Huit d'entre eux sont considérés comme indispensables. On commencera donc par ceux-ci :

La VALINE, protéine glucoformatrice, jouant un rôle actif dans le métabolisme des glucides, et que l'on trouve surtout dans : soja, fromage (surtout à pâte dure), légumes secs, œuf, riz, blé.

La LEUCINE, constituant de la protéine et facteur de croissance, se trouvant dans ce qui précède, et aussi le maïs, l'avoine, la pomme de terre, les légumes frais.

L'ISOLEUCINE, précurseur de la sérotonine et de la nicotinamide (vitamine PP) et, de plus, glycoformatrice et cétogène (agit sur le métabolisme des sucres), dont les sources sont les mêmes que celles de la leucine.

Le TRYPTOPHANE, précurseur de certaines hormones, améliorant du sommeil et agent de croissance, se trouvant dans la farine de soja, le fromage, l'œuf, les légumes secs, le riz, le germe de blé, l'avoine, la pomme de terre, le beurre, les légumes frais.

La MÉTHIONINE, qui agit sur le métabolisme des graisses, et que l'on trouve là où est le tryptophane.

La LYSINE, acide aminé basique indispensable et facteur de croissance, toujours présent dans ce qui apporte le tryptophane.

Lors de la fabrication des pâtes alimentaires, le séchage à haute température (H.T. ou à très haute (T.H.T.), soit 60° à 90°C, pour l'un, et plus de 100°C pour l'autre, provoque une perte de lysine de 20% à 25%.

Le PHÉNYLALANINE, précurseur de certaines hormones, dont en plus il est noté que l'absence est toujours préjudiciable, se trouvant également là où l'on trouve le tryptophane.

Pour en terminer avec la nomenclature des huit acides aminés dits « essentiels », voici la THRÉONINE ayant les mêmes pourvoyeurs que ce qui précède.

Viennent ensuite d'autres acides aminés dont la présence constante n'est pas considérée comme indispensable, mais tout de même souhaitable.

Ainsi, l'HISTIDINE, que l'on trouve dans la farine de soja, le fromage, les légumes secs, le riz et la pomme de terre, est le constituant d'une fraction de l'hémoglobine, tandis que l'ARGININE, indispensable à l'organisme en voie de croissance, de même que les provitamines, retrouvées dans certaines sécrétions glandulaires, se retrouve dans les mêmes produits alimentaires, avec, en plus, le germe du maïs et l'avoine.

Si l'ACIDE ASPARTIQUE et son précurseur l'asparagine sont surtout utiles dans la transformation des glucides et des protéines végétales, l'ACIDE GLUTAMIQUE et son précurseur la glutamine jouent un rôle important dans le métabolisme de la cellule cérébrale et de la cellule nerveuse. Ce sont surtout les protéines végétales qui les renferment, spécialement les prolamines des graines. L'approvisionnement se fera, pour les premiers, dans la farine de soja, les légumes secs, le fromage et l'œuf, et pour les seconds, dans les mêmes groupes d'aliments avec, en plus, le riz, la pomme de terre, les légumes frais..

Le GLYCOCOLLE (ou GLYCINE ou ACIDE AMINO-ACÉTIQUE) a les mêmes origines que les précédents, de même que la CYSTINE, forme oxydée de la CYSTÉINE, agent de liaison des protéines et transporteur d'hydrogène.

Participant au métabolisme des glucoces, la PROLINE se trouve dans le fromage, le soja, les légumes secs, l'œuf, le riz, la pomme de terre.

Après avoir mentionné l'ALANINE, anticétogène, se trouvant dans la farine de soja, les légumes secs et le fromage, on terminera avec la TYROSINE, antidouleur puissant, susceptible de calmer certaines souffrances hémorroïdaires. En dehors de la citrouille qui en serait bien pourvue, on trouve aussi cette tyrosine dans le fromage, la farine de soja, les légumes secs, le germe du blé et du maïs, le riz, l'avoine, les légumes frais, la pomme de terre.

FERMENTS ET ENZYMES.— On ne saurait évoquer tant d'éléments subtils dont la seule présence suffit parfois pour changer le cours des faits, notamment ceux concernant les fonctions organiques, sans mentionner l'équilibre et la régularité des diverses opérations placées sous l'influence de ces éléments si subtils que sont les enzymes, « substances de nature protéinique, douées d'une activité catalytique, c'est-à-dire accroissant la vitesse d'une réaction biochimique ».

Pouvant renfermer un grand nombre d'acides aminés (la ribonucléase en contient 124), les enzymes sont à la fois nécessaires pour certaines liaisons, tout comme des éventuelles dissociations.

Certaines enzymes peuvent être sécrétées par l'organisme, tel le LYSOZYME présent dans le blanc d'œuf, mais aussi dans la salive, les larmes, le mucus nasal, le pancréas.

Les principales enzymes seraient, en plus de ce lysozyme, la RIBONUCLÉASE, la TRYPSINE, enzyme protéolytique, placée sous l'influence du pancréas, et qui intervient dans la phase intestinale de la digestion des protéines, la CATALASE, la MÉTHIONINE, acide aminé soufré indispensable, l'AMYLASE, enzyme transformant l'amidon en maltose et en dextrine, la PHOSPHORYLASE, qui préexiste dans le foie, permettant aux cellules d'utiliser les réserves en glycogène ou les rendant métabolisables, ou encore l'enzyme LIPOPROTÉINE (lipides du jaune d'œuf), forme normale de transport des lipides dans la circulation sanguine. En général, toutes les enzymes sont susceptibles de contrecarrer l'action des virus.

Si, trop souvent, est évoquée assez inconsidérément la préservation des vitamines avec certains modes de cuisson ou de conservation des aliments, confondant ainsi le support identifiable avec le principe subtil extrêmement fragile, on évite en général de mentionner les enzymes. L'extrême précarité de celles-ci les rend dénaturables par la chaleur ou le contact avec de nombreux agents physiques ou chimiques.

Or, même en quantités infimes, tous les nutriments doivent être apportés par les aliments, non pas sous forme isolée, mais bien associés à d'autres éléments sans lesquels ils seraient inactifs.

C'est ce qui donne toute l'importance à une alimentation à la fois variée et « vivante ». Une notion doit être mise en évidence, c'est qu'il ne faut pas attendre trop d'un corps isolé, même si un trouble peut être évoqué lorsqu'il fait défaut, car c'est de toute une cascade d'association que peut résulter l'équilibre organique, celui présidant, à la fois, aux réfections ou au processus énergétique, tout comme aux défenses organiques.

FLORE DIGESTIVE.— Le tube digestif de l'être humain (et aussi de l'animal) héberge un grand nombre de micro-organismes dans le cadre d'un écosystème complexe normalement bien équilibré.

A l'état physiologique, cette flore intervient du fait d'une modification du chimisme, du métabolisme et de la vitesse de transit des constituants du bol alimentaire.

A l'inverse, la nature des aliments et mixtures diverses ingérés exerce une influence dans un sens favorable ou néfaste sur la flore intestinale. A cet égard, on relève le rôle particulièrement perturbateur des antibiotiques et même de certains antiseptiques, surtout introduits par voie orale.

Les ferments de la choucroute (et autres aliments lacto-fermentés), de même que ceux du yaourt, contribuent à la neutralisation des germes pathogènes et à l'entretien d'une flore protectrice.

A PROPOS DE QUELQUES VITAMINES.— Un exposé sur les substances pondérables ou subtiles devant assurer à l'alimentation son rôle constructif, réparateur et protecteur serait évidemment incomplet (il le sera d'ailleurs toujours, étant donné ce qui reste ignoré) si mention n'était pas faite des vitamines.

Toutefois, celles-ci ayant été souvent mentionnées avec suffisamment de précisions dans les ouvrages traitant du problème alimentaire, et notamment assez longuement dans « Le Second Souffle », il serait fastidieux d'en reprendre l'énumération.

Ce sont donc seulement des réflexions complémentaires qui peuvent intervenir utilement.

Périodiquement, des aspects intéressants d'une vitamine sont mis en évidence, l'attention étant actuellement orientée sur la vitamine A, laquelle pourrait prévenir — et peut-être même « guérir » — certains cancers. A tel point que l'on envisagerait encore, par ce moyen, une neutralisation partielle des effets nocifs du tabac !

La plupart des légumes et fruits, notamment les légumes verts, la carotte, la tomate, la pomme de terre, les fruits de couleur, le navet, étant pourvoyeurs de caroténoïdes, précurseurs de la vitamine A, de même que l'œuf et le lait d'été, l'approvisionnement serait largement assuré si d'assez nombreux facteurs n'en gênaient pas l'absorption.

Une série d'infections, une gastro-entérite aiguë, une parasitose peuvent gêner l'absorption et l'utilisation de la vitamine A. Peut être évoquée aussi, devant une éventuelle carence, une déficience hépatique, de même qu'ont été relevées des anomalies dans le processus de la transformation des carotènes en vitamines, puis dans l'assimilation de celles-ci. Ainsi, tous les carotènes ne deviennent vitamines que si tout le mécanisme des transformations successives, puis de la répartition, est satisfaisant.

Evidemment, la tentation est grande de substituer à la vitamine naturelle, éventuellement défaillante, une reproduction artificielle, les réactions de laboratoire semblant démontrer une certaine similitude. Pourtant, des incidents ont dû être reconnus, telle une hyperostose (épaississement — avec déformation — d'une portion d'os), cela pouvant aller jusqu'à provoquer l'ankylose.

« Il est paradoxal d'observer qu'un traitement vitaminique utilisé comme traitement de neuropathie peut en induire » (Concours Médical), cette réflexion concernant la vitamine B6, prescrite dans les neuropathies, des asthénies ou des dermatoses. Il est donc dommage, dans ces situations, de ne pas donner plus d'importance au germe de blé et de maïs, au jaune de l'œuf, à certains laitages, à la graine de soja, lesquels participent, avec la vitamine E (ayant à peu près les mêmes sources alimentaires que la vitamine B6, précitée), à la synthèse du magnésium, lequel, prescrit isolément, présente divers inconvénients, dont celui, important, de gêner l'assimilation du calcium.

Les inconvénients résultant de la prescription de vitamines synthétiques ne sont encore que très partiellement connus, mais il est probable que leur réalité deviendra de plus en plus évidente. Aux incidents déjà constatés, on peut mentionner que, prescrite isolément, la vitamine C (acide ascorbique) incite l'organisme à la destruction des molécules de la vitamine B. Et même aussi, dans la lancée, de la vitamine C apportée par les aliments !

En contrepartie, il est remarquable de constater que l'association initiale des vitamines dans les aliments naturels, non seulement n'est à l'origine d'aucun antagonisme, mais au contraire d'avantages certains. Ainsi, associées, les vitamines B9 (acide folique) et B12 (cyanobalamine), par interaction, s'opposent à l'anémie mégaloblastique, se montrant les agents actifs de l'immunité. Ces folates se trouvent dans les fruits et légumes verts, crus surtout.

Jamais l'on ne constatera de phénomènes anormaux pouvant découler d'un « excès » de vitamines lorsque celles-ci sont apportées par les aliments, si ceux-ci sont en quantité et en variété correctes. Même si certains d'entre eux étaient trop « riches » en certains éléments, aussi bien sels minéraux, acides aminés, oligoéléments que vitamines, il n'en résulterait aucun incident fâcheux. Cela ne peut survenir qu'après utilisation d'un corps isolé et souvent de reconstitution, donc ne provenant pas du produit alimentaire intégral.

Tout ce que l'on pourrait avancer à propos d'hyper ceci ou cela ne reposerait sur rien de vraiment réel. Par contre, l'introduction dans l'organisme d'un quelconque produit de remplacement, obtenu par synthèse, peut nuire à la bonne utilisation des éléments vitaux apportés par une alimentation convenable.

LES MODALITÉS DE LA RÉFORME ALIMENTAIRE

Une fois la conviction bien acquise qu'il importe de changer les habitudes alimentaires, l'embarras peut être grand quant à la voie à emprunter et aux modalités de la conversion.

Différentes méthodes peuvent être séduisantes et sembler logiques, bien qu'apparemment divergentes. Admettant que pour certaines raisons, dont la moindre n'est pas le maintien ou le rétablissement de la concorde familiale, l'harmonisme soit choisi, on ne discerne pas toujours très bien comment s'y engager.

Alors convient-il de procéder avec circonspection et par étapes, la première étant une réalisation positive consistant à introduire des aliments complets en remplacement de ceux qui sont dénaturés : pain complet en place de pain blanc, riz complet et toutes céréales peu manufacturées. De dessert, les fruits deviendront hors-d'œuvre, et seront placés en début de repas, immédiatement suivis des crudités (salades, carottes râpées, basconnaise, etc.). Les fruits secs peuvent rester en dessert.

Parallèlement à ces premières réformes, la consommation de viande sera réduite progressivement. Une fois bien persuadé de la nocivité de la viande et décidé de s'en passer, il est difficile de continuer d'en consommer encore. Aussi son abandon devrait-il se faire assez rapidement, dans la mesure où l'organisme semblera s'accommoder des autres variétés d'aliments.

Cette nouvelle orientation enclenche souvent un certain désarroi et un accroissement du temps de préparation des repas. C'est que l'on se perd un peu à tâtonner, à trouver une nouvelle utilisation des appareils ménagers, dont certains, telle la cocotte express, les systèmes à cuisson rapide ou les ustensiles en aluminium, vont devoir être progressivement réformés (bien que réels, les dangers qu'ils représentent ne sont pas à ce point qu'il faille brusquement s'en séparer).

Il en va de même avec les aliments en conserve, tous les procédés conduisant plus ou moins à leur dévitalisation, ils passent alors au second plan, n'étant utilisés que très exceptionnellement, pour compléter un repas ou permettre une fantaisie.

L'insistance portée sur la nécessité des protéines crée parfois un état de mise en condition assez malaisément surmontable. Le néophyte se croit alors obligé d'avaler de grandes quantités de fromage, de beurre, d'œufs, de céréales et de toutes sortes d'autres aliments pour compenser la suppression de la viande.

Il y a là une erreur de jugement qui n'est pas sans répercussions fâcheuses. On a tellement seriné qu'il fallait tant de protides, tant de glucides, tant de lipides (sans d'ailleurs trop s'attarder sur les éléments pourtant essentiels que sont les ferments, vitamines, corps minéraux), que la crainte d'être en déficit devient obsédante. Avec la mention des oligo-éléments et autres corps rares, on n'envisage guère que la « supplémentation », justifiable seulement lorsque l'alimentation est trop dépourvue d'aliments « vivants ».

Les concepteurs de moteurs d'automobiles se montrent plus conséquents. Se gardant bien de généralisations, ils préciseront ce que doit être la consommation en carburant et en lubrifiant de chaque type de moteur, compte tenu de ses besoins et de ses possibilités d'utilisation et de transformation en énergie.

Les nutritionnistes, eux, ne semblent pas sensibles à ces subtilités, ni au discernement des aptitudes de chaque organisme à tolérer, transformer, stocker ou utiliser les divers éléments de la nourriture.

C'est donc bien à l'intéressé de procéder par tâtonnement — compte tenu toutefois des données — et déterminer quelles sont les quantités de chaque variété d'aliment qu'il peut, avec profit, digérer et assimiler.

L'assurance peut être heureusement donnée que, lorsque l'alimentation est naturelle, les erreurs — pourvu qu'elles ne persistent pas trop — n'ont qu'une importance assez mince et peuvent être assez rapidement rattrapées, surtout si, parallèlement à la réforme de l'alimentation, est entrepris un traitement de remise en état des fonctions.

NOMBRE DES REPAS. — C'est encore là un sujet de préoccupations pour celui qui s'efforce de concilier les nécessités de la vie (familiale, professionnelle, etc.) avec les impératifs des conditions de la santé.

On préconise assez souvent la limitation du nombre des repas à deux par jour. Certains assurent que ces conditions restrictives sont à l'origine de leur santé. S'il est exact que certains s'en accommodent très bien, ce serait une erreur de passer au stade de la généralisation.

Indépendamment de l'agrément que l'on peut trouver à se mettre à table en famille, il y a la notion confirmée par de nombreuses observations que, contrairement à ce que l'on pourrait supposer, des repas légers et plus nombreux conduisent moins à l'adiposité, à l'embonpoint ou à l'athérome que les repas plus rares et copieux.

Avec la ration quotidienne prise en une seule fois, on constate une augmentation des lipides sanguins et une déficience dans l'utilisation des glucides.

Un sujet maigre aurait donc intérêt à réduire le nombre des repas, en y concentrant la totalité des rations journalières, tandis que le candidat à l'obésité se trouverait mieux de trois ou quatre repas légers.

Une pratique condamnable est celle des « grignotages » à toutes occasions de la journée, ce qui peut couper l'appétit au moment du repas complet, et entraîner un surmenage d'organes digestifs jamais au repos.

Il est évidemment des situations exceptionnelles, débordant du choix entre deux ou quatre repas par jour ; c'est le cas des grands dénutris, déficients des fonctions et organes digestifs. Pour éviter ou combler les carences et déficits, il leur faut parfois, durant le temps nécessaire aux réparations, procéder par prises nombreuses et rapprochées d'aliments sous une forme la plus favorable à la tolérance, ceci incluant le recours aux jus de fruits et légumes, carottes et betteraves rouges, notamment.

On peut considérer comme admis que, non seulement la cellulose ne présente aucun des dangers que certaines théories lui attribuaient, mais qu'elle est absolument nécessaire pour plusieurs raisons.

De plus en plus fréquemment s'affirment des tendances scientifiques tendant à « réhabiliter » la cellulose et à lui restituer sa juste place. Il a été mis en évidence le cas de personnes dont l'alimentation comportait une grande proportion d'hydrates de carbone « grossiers » : céréales complètes, farines peu blutées, légumes secs non décortiqués. La lenteur de ces aliments pour se métaboliser maintient le taux d'insuline dans les limites favorables aux cellules artérielles.

Certains hydrates de carbone, tels le sucre industriel ou les amidons dénaturés, sont trop rapidement élaborés, entraînant ainsi des décharges fugitives d'insuline. Il s'ensuit évidemment des chocs artériels répétés et un inévitable encombrement organique par les résidus graisseux.

Car les graisses ont besoin de la présence de glucides pour être intégralement transformées et correctement utilisées. Constituées en grande partie de matériel fibreux incomplètement digestible, les aliments d'origine végétale sont irremplaçables. Se « débobinant » lentement, leurs glucides fibreux facilitent le métabolisme des graisses. Pour être convenablement transformées, ces dernières ont besoin d'un catalyseur qui est le sucre ; mais lorsque celui-ci est d'origine industrielle ou en provenance d'amidons dénaturés (pain blanc, céréales égrugées, légumineuses décortiquées, etc.) il est digéré trop rapidement.

D'où l'avantage incontestable de glucides comprenant un « ballast » indigestible, dont la dégradation lente fournira aux graisses — lesquelles ne peuvent être digérées que très lentement — les glucides nécessaires à cette élaboration. A défaut de ces si précieux hydrates de carbone, les graisses seraient imparfaitement transformées, et elles encombreraient l'intestin de résidus putrides.

Donnant du volume aux selles, les parties indigestibles de l'alimentation végétale en accélèrent le transit, ceci pouvant aller du simple au triple, réduisant ainsi les possibilités de réabsorption de substances nocives. Un intestin fragile, déjà irrité, peut s'accommoder parfois assez mal de la présence d'un tel ballast et accélérateur: On en revient alors toujours à l'impérative nécessité des soins naturels de remise en état des organes et de rétablissement des fonctions. Une intolérance à la cellulose, soit que la partie digestible de celle-ci ne puisse être transformée et assimilée, soit que l'« indigestible » entretienne l'irritation, il importe de traiter cet état jusqu'à ce que des tentatives périodiques indiquent une amélioration suffisante pour l'acceptation de l'intégralité des aliments végétaux.

Cette restauration du milieu et des fonctions survient d'autant plus rapidement qu'après le passage intestinal des végétaux verts, le nombre de germes nocifs pouvant séjourner dans ces régions diminue considérablement.

POUR QUE L'ORGANISME
SE DÉFENDE CORRECTEMENT

Non seulement l'apparition de maladies nouvelles, comme ce Sida (syndrome de déficience immunitaire acquise) ou l'évolution de l'herpès et même des lupus, plongent les médecins dans l'inquiétude, aucune parade n'étant prévue, mais ils se trouvent de plus en plus fréquemment confrontés aussi à ces maladies auto-immunes, dont les corticoïdes permettent peut-être de s'accommoder, mais transitoirement étant donné les désordres qu'ils peuvent engendrer.

Pourtant, placé dans des conditions convenables d'entretien, l'organisme est « outillé » pour organiser sa défense. C'est ce qui semble malheureusement en voie de régression, du fait du remplacement des mécanismes immunitaires par des procédés artificiels.

Dans cette optique de substitution aux défenses naturelles, on est arrivé à négliger leur existence même. Ainsi, la plupart des écrits médicaux sur ce sujet présentent-ils le thymus (glande endocrine placée à la partie inférieure du cou), producteur de certains lymphocytes, comme un organe disparaissant progressivement après l'enfance, puis, définitivement après l'adolescence, alors que la réalité est assez différente. C'est seulement après l'âge de 20 ans que commence à décroître la fonction du thymus. Comme d'autre part les cellules qu'il produit durent longtemps, ce n'est seulement que vers 50 ans que disparaîtrait l'« hormone thymique ». D'autre part, lorsque cet organe n'a pas été trop perturbé jusqu'à cet âge, les déficits immunitaires, non seulement peuvent être évités assez longtemps encore, mais les fonctions de remplacement prennent la relève.

Lorsque, à l'occasion d'une quelconque infection ou infestation, on fait intervenir l'argile, le thym, le buis, le citron, l'ail, ou d'autres auxiliaires naturels de défense ou de protection, c'est en direction de l'organisme à solliciter, et non à son agresseur. Ainsi l'aide-t-on à mieux réagir et à ne pas épuiser trop vite son potentiel défensif. Après la crise, l'organisme est parfois encore en meilleure situation qu'auparavant, des fonctions jusque-là un peu déficientes ayant pu se rétablir, tandis qu'étaient éliminés des facteurs d'encombrement ou de perturbation.

Il en va tout autrement avec l'intervention médicamenteuse, les défenses étant déviées, le système immunitaire négligeant la résistance contre le facteur d'infection pour aller combattre le remède artificiel, aussi intrus et inopportun que le germe microbien contre lequel il est censé intervenir.

Et ensuite, une situation plus inquiétante encore peut s'établir. C'est, notamment, lorsque ne faisant plus la différence entre l'agresseur, le médicament et ses propres sécrétions, l'organisme ainsi « déboussolé » en arrive à se combattre lui-même, à se livrer à l'autodestruction. C'est ce qui se passe avec les maladies auto-immunes, dont la montée constante ne laisse pas d'être particulièrement inquiétante pour les médecins et... les intéressés. D'autant plus inquiétante que le seul remède médical envisagé est l'atténuation des défenses et réactions organiques.

De la confusion ainsi engendrée, puis entretenue, sinon aggravée, dans les fonctions, résulte une situation très inquiétante, l'organisme, non seulement ne se défendant plus, ou seulement très mal, lors d'une quelconque agression, en arrive à se détruire lui-même.

Ainsi reconnaît-on nombre de ces maladies auto-immunes, auxquelles les remèdes opposés en priorité sont les si inquiétants corticoïdes, tels, entre autres, le lupus érythémateux, la polyarthrite rhumatoïde, les anémies hémolytiques, les leucopénies, la maladie de Basedow, celle d'Addison, le diabète juvénile, la maladie de Crohn, l'anémie de Biermer, la recto-colite hémorragique, le pemphigus, la myasthénie, le rhumatisme articulaire aigu, etc.

C'est seulement « par la bande » qu'il est possible d'envisager le retour à une situation normale dans la plupart de ces états, et encore si l'atteinte et le déséquilibre ne sont pas trop profondément implantés, et surtout si l'organisme n'est pas trop conditionné par l'action des anti-inflammatoires.

Les perspectives de réussite d'un rétablissement de fonctions normales trouvent leur justification, notamment avec la constatation que la grossesse a un effet suppresseur sur les phénomènes de l'inflammation.

Ayant pour effet de diminuer la phagocytose, souvent manifestation d'autodestruction, le sérum de la femme enceinte peut également réduire les fonctions des leucocytes T. C'est un phénomène intéressant d'un côté, mais inquiétant de l'autre car c'est une fragilisation devant certaines agressions éventuelles, telles l'hépatite virale, la grippe, la variole, la poliomyélite, la rubéole, la rougeole...

Par ailleurs, il est supposé que la grossesse aurait une activité immunosuppressive ou anti-inflammatoire. Ce sont là des faits reconnus et retrouvés chez la plupart des femmes enceintes médicalement suivies et « traitées ».

Heureusement, chez les harmonistes, on n'a jamais retrouvé de ces aptitudes à la fragilité ; mais, par contre, il est exact que des phénomènes inflammatoires gênants peuvent s'atténuer, et même disparaître, durant la grossesse.

C'est un élément intéressant, apportant la confirmation que, lors d'une situation exceptionnelle, pourtant d'un déroulement normal, l'organisme est placé dans de telles dispositions que les fonctions peuvent aussi bien se dégrader plus encore, ou, par contre, se rétablir, se normaliser.

L'engagement dans la voie harmoniste, avec ce qu'il suppose de stimulation et de rétablissement des fonctions atténuées ou perturbées, laisse toujours la voie ouverte à un espoir de guérison, même lors de ces maladies inflammatoires ou auto-immunes.

Si des « incidents », tel celui du Sida peuvent survenir, c'est que, chez de plus en plus de sujets, les défenses vont en s'atténuant. Ainsi, les ganglions sont-ils hypertrophiés, tandis qu'apparaissent des mycoses, une perte anormale de poids, de la fièvre, de la toux, des diarrhées persistantes, des taches de couleurs diverses sur la peau s'étendant et se transformant en nodules durs et violacés, prélude au syndrome de Kaposi, forme jusqu'alors assez rare de cancer.

Tout ce que l'on sait vraiment de cette maladie est l'identifier, mais c'est tout. Ce qu'on admet aussi c'est la contamination par le sang, qu'il s'agisse de transfusion ou de vaccins fabriqués à partir de sang infecté.

Il est évident que ceux se trouvant ainsi atteints étaient en état de déficience immunitaire (ceci traduit dans le nom donné à la maladie, à moins de l'existence d'un autre genre de déséquilibre dans le système défensif) et qu'il y a peu d'espoir qu'ils puissent résister ou voir se rétablir un système défensif normal.

Les harmonistes étant à l'abri de ce genre d'incidents, ceux-ci ne sont donc mentionnés qu'à titre simplement anecdotique, sans qu'ils aient à s'en soucier, tout au moins en ce qui les concerne.

Par contre, tout danger de maladie inflammatoire ou auto-immune n'est pas spontanément écarté, surtout après la cinquantaine, et principalement chez les femmes, lesquelles y semblent plus sujettes que les hommes.

Heureusement, il y a suffisamment de précédents pour que l'espoir demeure de surmonter ces remontées morbides d'une hérédité ou d'un passé défavorable.

Qu'ils soient considérés comme auto-immunes ou inflammatoires, ces incidents peuvent toujours être abordés en partant des mêmes bases, à savoir tout ce qui peut contribuer au rétablissement (ou à l'établissement pour certains) de fonctions organiques normales.

C'est là que le bain de siège froid se révèle irremplaçable pour la stimulation des échanges organiques correctes et du système immunitaire cohérent.

Déjà, une bonne alimentation comportant nombre d'éléments « vivants », des ferments et autres corps subtils maintenant l'équilibre dans le processus défensif et la normalité dans les fonctions, place l'organisme dans les meilleurs dispositions pour le maintien de l'équilibre, ou son rétablissement s'il est perturbé.

En agissant en direction du foie (avec tisane hépatique et applications locales d'argile ou de chou) c'est une contribution à cette recherche d'une situation meilleure et le retour vers des fonctions d'assimilation et de protection normalisées.

Dans la pratique harmoniste, les moyens ne manquent pas pour surmonter la plupart des situations inquiétantes pouvant se présenter. Cela suppose évidemment du discernement, du courage et de la persévérance, ce qui n'est malheureusement pas si courant. Et pourtant, c'est payant !

LES CONDITIONS DE LA SANTÉ

Avant de parler de santé, peut-être n'est-il pas superflu de la définir. Il y a, par exemple, un Ministère de la « Santé » ; or, on a pu constater que, jusqu'ici, on ne s'y occupait guère que de maladies. Et le budget dit « de la Santé » est un budget de maladie. Jamais il n'est question de quoi que ce soit pour la santé. Si l'on examine le détail des dépenses attribuées à la santé, on constate qu'elles ne concernent que les maladies. C'est là une assez curieuse conception de la santé ! On se plait à dire : « L'homme d'aujourd'hui a droit à la santé, il exige la santé », et, de tous côtés, on n'aperçoit que des malades ! Quant à la santé, où est-elle, qu'est-elle ? Il faudrait la définir pour la reconnaître.

Dans sa concision, la définition de l'O.M.S. (Organisation mondiale de la santé), est convenable et assez éloquente : « la santé ne consiste pas seulement en une absence de maladie ou d'infirmité, mais est un état complet de bien-être physique, mental et social ». Voilà déjà qui sort de la conception uniquement négative que c'est « un état transitoire entre deux maladies », chère au docteur Knock ; mais il y a plus complet, plus précis, et la meilleure définition nous est venue d'Amérique. Dans un ouvrage traduit de l'américain, « Santé et Maladie » (Edition Life), deux médecins de ce pays, dont un, le Docteur René Dubos est d'origine française, et le Docteur Maya-Pines, énonçaient que « la santé est l'aptitude à exercer efficacement les fonctions requises dans un milieu donné, et comme ce milieu ne cesse d'évoluer, la santé est un processus d'adaptation continuelle aux innombrables microbes, irritants, aux tensions et problèmes auxquels l'homme doit faire face chaque jour ».

C'est bien ainsi que l'on peut envisager la santé, cette possibilité d'adaptation à certaines conditions, devant certaines agressions — en n'extrapolant pas, en se gardant toutefois de cette définition moderne selon laquelle l'organisme humain serait capable de s'adapter à toutes les aberrations.

Le terrain ainsi déblayé, peut-on alors mieux étudier quelles sont les conditions de cette santé. Dès la préhistoire — des milliers d'années avant notre ère — on a retrouvé des signes de maladie. Celle-ci frappait déjà les hommes. On a découvert que la tuberculose vertébrale existait il y a 6 000 ans. Un papyrus, datant de 1 600 avant Jésus-Christ, donnait la première relation des maladies de la poitrine. Des lésions d'origine tuberculeuse ont été révélées par l'analyse microscopique de la momie d'un Egyptien ayant vécu 1 000 ans avant Jésus-Christ. Des traces de lésions coronariennes ont été trouvées sur des momies de la même époque. On sait aussi que l'origine du diabète est très lointaine — mais cela peut s'expliquer car, ainsi qu'il a déjà été remarqué, si le diabète est devenu une maladie dégénératrice, à l'origine c'était un phénomène de compensation, un effort d'adaptation de l'organisme.

Il est un fait acquis, c'est que toutes les sociétés, même les plus anciennes, ont connu la maladie. Cela se retrouve, de nos jours, dans les groupes humains vivant encore à l'état primitif. Ces sociétés dégénèrent parce que, en réalité, elles ne respectent pas les règles intrinsèquement naturelles. Partout et de tous temps, les hommes ont été plus ou moins les esclaves de leurs passions. Ils ont réussi à faire fermenter des jus ; ils ont ensuite distillé ; ils se sont toujours essayé à mâcher ou à fumer des plantes à actions euphorisantes ou hallucinatoires. Relativement peu de peuples méritent vraiment le qualificatif « sage ». Sans doute est-il l'exemple des Hounzas ; c'est un cas isolé et exceptionnel — tellement exceptionnel qu'ils ont fait l'objet de nombreux écrits et études — et ils vivent dans une région assez peu accessible, là où le « progrès » ne pouvait guère aller les relancer. Ils étaient à l'écart du monde. Maintenant qu'ils s'emploient comme guides ou porteurs (sherpas) et se frottent ainsi à la civilisation, on ne sait pas ce qu'il est advenu de leur sagesse jusque-là préservée. Quand les hommes — surtout les jeunes — commencent à accéder, même partiellement, à ce que d'autres connaissent, il est bien rare de les voir rester indifférents. A leur tour, ils veulent faire l'expérience de la vie artificielle.

TABLE DES MATIÈRES

Les Conséquences directes d'un dérèglement hépatique

Les Conséquences indirectes d'un dérèglement hépatique

Ce qui dégrade le foie

OUVRAGES DE R. et J. DEXTREIT

PRIX 1989 DE L'ACADÉMIE DIPLOMATIQUE DE LA PAIX
« AU MÉRITE DES MÉDECINES NATURELLES »

LA MÉTHODE HARMONISTE

Conquête et protection de la santé, avec la méthode harmoniste. Ce livre est de conception particulièrement soignée, format 17×24 cm, sous une luxueuse reliure balacron.
52° mille - 624 pages.

GUÉRIR ET RAJEUNIR

L'ouvrage comprend un ensemble d'exposés sur l'Air, l'Eau, la Terre, la Lumière et le Soleil, leur utilisation dans le cadre d'une synthèse harmonieuse.
60° mille - 280 pages.

VIVRE SAIN

Le Problème de l'alimentation naturelle et de la vie saine étudié à la lumière de la science, de la logique et de l'intuition.
85° mille - 272 pages.

LA CURE VÉGÉTALE
TOUS LES FRUITS ET LÉGUMES POUR SE GUÉRIR

Les propriétés curatives et nutritives de 150 variétés végétales familières sont indiquées avec toutes leurs utilisations possibles, aussi bien comme aliments qu'en tant que remèdes.
130° mille - 152 pages.

TOUTES LES PLANTES POUR SE GUÉRIR

Propriétés curatives de près de 200 plantes médicinales courantes avec leur utilisation en usage interne et externe.
150° mille - 240 pages.

LE SECOND SOUFFLE

Pour une vie active et agréable après la cinquantaine. Réponses à de nombreuses questions.
10° mille - 280 pages.

LA SPASMOPHILIE

Et aussi les troubles de l'Asthénie et de la Tétanie.

30° mille - 96 pages.

TRAITEMENTS NATURELS D'URGENCE

Les cas pouvant survenir le plus fréquemment, avec la marche à suivre.

100° mille - 72 pages.

DES ENFANTS SAINS

Tome I : De la conception à la scolarité

65° mille - 224 pages.

Tome II : De la scolarité à la maturité

25° mille - 180 pages.

LA TABLE ET LA SANTÉ

Plus de 1200 recettes et des menus, avec les proportions très précises, permettant de cuisiner sans mécomptes.
Nouvelle édition reliée balacron.

85° mille - 632 pages.

LES VOIES RESPIRATOIRES

Asthme, Bronchite, Sinusite, etc.

70° mille - 72 pages.

LE CANCER

Que faire pour l'éviter. Que faire s'il est déjà là.

60° mille - 120 pages.

CE QUE PEUVENT LES MAINS

Détecter, Magnétiser, Masser.

60° mille - 88 pages.

POURQUOI ET COMMENT MANGER DES CÉRÉALES

Avec de nombreuses recettes.

150° mille - 96 pages.

BIOJARDINAGE

Culture du sol selon les méthodes biologiques, sans engrais ni autres produits chimiques. Soins aux arbres. Le jardin potager.

45° mille - 200 pages.

LES TROUBLES DE LA CIRCULATION VEINEUSE

Varices, Ulcères, Dermites, Hémorroïdes, Fissures.
40° mille - 80 pages.

URÉE — ALBUMINE — COLIBACILLE

Le traitement naturel avec celui de la cystite et de la prostatite.
120° mille - 48 pages.

L'ARGILE

Mémento de médecine familiale avec de nombreux exemples et cas de guérison.
840° mille - 192 pages.

LA CONSTIPATION VAINCUE

Reconnaître ses causes pour la vaincre. Danger des palliatifs. Les vrais remèdes.
170° mille - 72 pages.

LES 4 MERVEILLES

Vertus nutritives et curatives du Citron, *de la* Carotte, *de l'*Ail *et du* Thym.
220° mille - 48 pages.

QUAND DANS LE SANG IL Y A TROP DE LIPIDES, CHOLESTÉROL, ACIDE URIQUE

Et des calculs dans les voies urinaires.
50° mille - 48 pages.

MENUS ET RECETTES

— pour **Foie, Estomac, Intestins.**
90° mille - 48 pages.

— pour **Adolescents, Travailleurs de Force, Sportifs.**
40° mille - 48 pages.

— pour **Maigrir sans faim et sans carences.**
90° mille - 48 pages.

— pour **Cœur, Artériosclérose, Circulation.**
60° mille - 48 pages.

— pour **Arthrite, Rhumatisme, Décalcification.**
60° mille - 48 pages.

LE CHOU POUR SE GUÉRIR

Nomenclature des principales affections avec modalités très précises d'application de la feuille de chou et d'utilisation du jus.
130° mille - 84 pages.

LES MALADIES DE CARENCES

Anémie, Déminéralisation, etc.
50° mille - 80 pages.

LA DÉPRESSION NERVEUSE

Tous les états névrotiques peuvent être traités avec le recours aux méthodes naturelles.
80° mille - 72 pages.

DES VACCINATIONS... POURQUOI ?

25° mille - 88 pages.

CHOLESTÉROL ET ARTÉRIOSCLÉROSE

220° mille - 48 pages.

LES CURES DE JUS DE FRUITS ET LÉGUMES

230° mille - 64 pages.

CES MALADIES QUI MONTENT

Coxarthrose, Ostéopathies, Hernie discale et Lombalgies. Ennuis de jambes et de pieds.
30° mille - 84 pages.

SANTÉ DES YEUX

Les principaux troubles de la vue ; les maladies des yeux les plus courantes. Traitement par les moyens naturels, y compris la gymnastique oculaire.
120° mille - 100 pages.

LE MIEL ET LE POLLEN

Leur valeur nutritive et curative. Les différents miels et leurs propriétés respectives.
100° mille - 48 pages.

ESPOIR POUR ARTHRITIQUES ET RHUMATISANTS

Avec l'Histoire d'une Guérison.
140e mille - 96 pages.

LE CŒUR ET LA CIRCULATION

Principales maladies cardiaques, l'athérosclérose, l'artérite, l'hypertension, les varices, ulcères, hémorroïdes, la ménopause.
130e mille - 112 pages.

LA COLONNE VERTÉBRALE
DES PETITS ET DES GRANDS

110e mille - 72 pages.

VOILA LE SOMMEIL

Retrouver le sommeil ou l'améliorer, qu'il s'agisse des enfants ou des adultes.
100e mille - 88 pages.

AU-DELA DES PROBLÈMES DE SANTÉ

Les principes harmonistes.
10e mille - 128 pages.

STOP A L'INFARCTUS
ET A VIEILLISSEMENT PRÉMATURÉ

Pour vivre mieux et plus longtemps.
40e mille - 112 pages.

OÙ TROUVER

Vitamines, Sels minéraux, Acides aminés, Protides, Oligo-élements, etc.
80e mille - 64 pages.

POUR LA PRATIQUE SPORTIVE

Préparation à l'effort physique, récupération et traitement naturel d'éventuels incidents. Alimentation avec exemples. La conduite automobile.
25e mille - 88 pages.

DIABÈTE ET MALNUTRITION

Tous les troubles de malnutrition. Les états prédiabétiques et prétuberculeux.
160e mille - 80 pages.

LES TROUBLES DIGESTIFS

L'ulcère du duodénum. La gastrite. Les ballonnements. Les ptôses (leur gymnastique). L'aérophagie. L'acidité stomacale, etc.
130° mille - 104 pages.

LES MALADIES DE LA FEMME

Métrite, salpingite, fibromes ; les règles difficiles, douloureuses ; la stérilité, etc.
110° mille - 112 pages.

MAIGRIR SANS CARENCES

Règles naturelles de vie adaptées aux cas particuliers permettant de retrouver un gabarit normal.
130° mille - 112 pages.

SOINS DE LA PEAU

Eczéma, Acné, Furonculose, etc. Formules d'Onguents et Masques pour la Peau, de Lotions et Teintures pour les cheveux.
110° mille - 90 pages.

INITIATION A L'ALIMENTATION VÉGÉTARIENNE MODERNE

Les raisons et des conseils pratiques.
90° mille - 144 pages.

CRUDITÉS

Salades simples, Sandwiches et Canapés. Plus de 100 recettes de basconnaises et salades composées. 24 formules de sauces et assaisonnements.
30° mille - 44 pages.

DE LA VÉSICULE A L'INTESTIN

Boue et Calculs biliaires. Colites et Diverticules. Parasitoses. Notes sur les Œufs et la Choucroute.
50° mille - 128 pages.

LES 22 REMÈDES NATURELS INDISPENSABLES

Tout ce qu'il faut pour presque tout soigner.
10° mille - 144 pages.

LA PAUSE MENTALE

Contrôle des actes - Universalisation de la pensée.
5° mille - 112 pages.

POUR SOIGNER LES BÊTES COMME LES GENS

Soins vétérinaires naturels.
10ᵉ mille - 120 pages.

CUISINE SIMPLE VÉGÉTARIENNE

Des recettes faciles à préparer. Menus en exemple.
30ᵉ mille - 112 pages.

LES MALADIES A VIRUS

Comment se défendre en cas d'Hépatite, de Grippe, d'Herpès, de Zona, etc. Un très efficace et inoffensif antiviral : le Buis.
30ᵉ mille - 104 pages.

RIEN QUE DES SOUPES

Plus de 140 recettes de potages, bouillons, consommés, potées, veloutés, panades, soupes d'ici et d'ailleurs.
30ᵉ mille - 120 pages.

NOUVELLE COLLECTION « CHOIX SANTÉ »

SAUVER LES REINS

Nouveauté - 88 pages.

CŒUR ET CIRCULATION

Nouveauté - 128 pages.

Revue mensuelle

VIVRE EN HARMONIE

Envoi d'un spécimen gratuit sur simple demande
aux Éditions « Vivre en Harmonie »,
B.P. 492 - 95005 Cergy-Pontoise Cedex.

Dépôt légal 2ᵉ trimestre 1991
N° d'éditeur 886. Dernier tirage : avril 1991
Imprimerie SIPÉ, 85, rue de Bagnolet, 75020 Paris